第四篇

美丽文登　丰富的中药材宝库

一、快速发展的文登中药材产业

四季分明的宜人气候，山海林泉等独特的地理环境，勤劳朴实的民风，占据了天时、地利、人和，再加上政府的正确引导，目前文登区拥有着闻名全国的中药材种植产业和丰富的野生中药材资源。

1. 文登西洋参，占全国年总产量的七成

西洋参，又叫花旗参、洋参、美国人参等，原为在美国和加拿大生长的名贵中药材，具有益元扶正、抗疲劳和调节中枢神经系统等药理作用。由于疗效独特，从三百多年前开始，我国就将其应用于中医药领域，但全部依赖进口。20 世纪 80 年代初，我国引种西洋参获得成功，文登是首先试种成功的地区之一。

经过 30 年的发展，文登区西洋参种植面积已达到 5 万亩，年产量 5500 吨，占全国年总产量的七成，文登也由此成为全国西洋参主产区。我国已成为继加拿大、美国之后的第三大西洋参生产国。权威检测报告显示：文登所产西洋参中的主要营养成分皂苷含量为 9.2％，而一般美国参中含量约为 5％；硒

的含量为 0.08%，是美国同类产品硒含量的 8 倍。

2015 年 11 月 14 日，国家工商总局发布公告，“文登西洋参”成功注册为中国地理标志证明商标。地理标志商标是标示某商品来源于某地区，并且该商品的特定质量、信誉或其他特征主要由该地区的自然因素或人文因素所决定。

文登区成立了西洋参协会，建立起种植、管理、采收、加工、销售等环节全链条可追溯体系。各个流程不仅规范有序，而且每个环节的监测数据都有专门的工作人员记录和上传。消费者若想知道从种子到成品每一个细节的详细信息，仅仅需要扫描产品包装上的二维码即可实现。

2. 航天丹参，文登的又一张中药名片

丹参具有扩冠脉、增加血流量、耐缺氧、强心、减慢心率、改善心功能、抑制凝血、促进组织修复、降血脂等作用，特别在治疗心脑血管系统疾病和抗病毒等方面具有独特的优势。而文登航天丹参是 2004 年 9 月我国第 20 颗返回式科学试验卫星太空育种试验的结果。由于在太空的特殊环境下，其内部结构发生良性变化，又经地面多年的科学培育，这种航天丹参最终成为优良品种。

经专家系统研究和化验分析结果表明：文登航天

丹参亩产鲜参达到3530千克，比普通丹参每亩净增2002千克，增产131%。有效成分丹参酮ⅡA含量达到0.46%，比普通丹参含量高一倍，优势显而易见。2015年11月，文登区成立了丹参协会，至今已经发展会员50多名，航天丹参种植面积达到6000多亩。如果说文登西洋参是一艘航空母舰的话，那文登的航空丹参则是另一艘远航巨舰！

3. 昆嵛仙山，丰富的野生中药材宝库

昆嵛山南濒黄海，北临渤海，其独特的位置、复杂的地形，以及暖温带季风型大陆性气候，适宜多种植物的生长发育。据多次调查并参考相关文献得知，昆嵛山的动植物物种非常丰富，是个天然生态博物馆，其中植物品种达1000多种。现已发现的药用植物有78科161属694种，其中根茎类药用植物74科93属97种。葛根、白头翁、北柴胡、黄芪、苦参、地黄、北玄参、苍术、桔梗、紫草、半夏等野生中药材在巍巍昆嵛山随处可见。

秦始皇曾先后三次东巡昆嵛山区，寻长生不老药；

汉武帝步其后尘，入昆嵛山腹地，觅不老之术。如今，这些“不老药”正走出文登，闻名全国，走向世界。

二、盛名远播的文登中药

近年来，文登的中药影响力越来越大，很多国内外的游客都把文登西洋参等道地药材当成“土特产”馈赠亲朋好友。那么，文登这些品质优良的中药都有哪些功效？又如何食用呢？

1. 文登西洋参

西洋参是名贵保健品，具有补气养血、滋阴补肾、健脾养胃、延缓衰老的作用，尤其适宜于气阴两虚、虚而有火者。食用方法有：

含嚼法：取西洋参2～3片含于口中，待口中唾液丰富后，细细咀嚼咽下。

泡服法：取西洋参薄片2～3克放于杯中，加开水冲泡，闷5分钟后即可服用，最后将西洋参片咀嚼咽下。

冲服法：取西洋参粉末3克置杯中，加入少量蜂蜜，用开水冲泡。闷盖5分钟后，即可服用。

煮服法：取西洋参片 3 克放入砂锅内，加水适量，文火煮 10 分钟左右，空腹喝汤，西洋参片咀嚼咽下。

炖鸡法：取西洋参 50 克，放入处理好的老母鸡肚内，缝合鸡肚，加水淹没鸡身，先用大火烧开，再用小火炖至鸡肉熟烂，汤液剩下 2/3 左右即可，每天食用一小碗。

2. 文登太子参

太子参，又名孩儿参、童参，目前已被卫健委列入“可用于保健食品的中药材名单”。太子参味甘、微苦，性平，归脾、肺经，体润性和、补气生津；太子参主治脾虚食少、倦怠乏力、心悸自汗、肺虚咳嗽、津亏口渴等症。

如果您感觉自己弱、免疫力低下、经常感冒，可以经常用文登太子参来煲汤喝。取文登太子参 10 克，以及文登有名的黄芪 15 克，大枣 7 枚。把太子参、黄芪、红枣加 2 小碗水，大火烧开后换成小火煎 20 分钟，这样药汁差不多就剩下一小碗了。把药汁倒出来，再用同样的方法加两小碗水，煎出一小碗来。

二者混合均匀后，每天早晚各服一碗即可。

另外，在炖鸡肉的时候加点太子参，那效果就更好了。自古至今流传着一种药膳，名曰“太子参炖柴鸡”，具有滋阴补虚、温中益气的作用。取太子参 8 克，柴鸡 250 克，以及盐、葱、姜、料酒等调味料适量。将柴鸡切块，在沸水中焯一下。将柴鸡与太子参倒入锅中，放入葱、姜、料酒，加清水炖约 1 个小时，至熟透后加入盐稍煮几分钟即可食用。

3. 文登金银花

金银花又名忍冬，“金银花”一名出自《本草纲目》，忍冬花初开为白色，后转为黄色，因此得名金银花。它性甘寒，气芳香，清热而不伤胃，芳香透达又可祛邪。金银花既能宣散风热，还善清解血毒，用于各种热性病，如身热、发疹、发斑、热毒疮痈、咽喉肿痛等症，均效果显著。

如果您出现嗓子疼、咳嗽，赶紧沏一碗金银花鸡蛋茶饮下，症状很快就会减轻。准备金银花 10 克，鸡蛋 1 枚。金银花用纱布包好，放入锅中，加一小碗水，大火烧开后煎 5 分钟。把金银花纱布包取出，把蛋液倒入锅中，同时用筷子快速搅动，关火即可。金银花味道微苦，所以可以加点冰糖调味。盛入碗中，趁热喝下。嗓子疼、咳嗽、痰少而黄多属热证，而金银花有清热解毒、疏风解表的作用。但金银花性寒，喝上三天左右，病好就可以了，不用多喝。

4. 文登黄芪

在一万多种中药材中，黄芪因为具有补气固表的作用，而被誉为“补气之圣药”，主要用于气虚乏力，食少便溏，中气下陷，久泻脱肛，便血崩漏，表虚自汗，痈疽难溃，久溃不敛，血虚萎黄，内热消渴。如果感觉自己浑身没劲、爱出汗、吃饭少、大便稀等，用黄芪泡水当茶喝上一阵子就非常好。

另外，中医讲，肺司一身之气，如果气虚的话容易出现气虚咳嗽，主要表现为咳嗽无力，痰白，质地清稀，面色白。在治疗中以健脾益气、止咳化痰为主，可以喝黄芪茯苓粥。

准备黄芪 10 克，茯苓粉 10 克，粳米 30 克。在锅中加入适量清水，放入黄芪，大火烧开后换成小火再煎

20 分钟。捞出黄芪，留下汤汁备用。把粳米淘洗干净，倒入锅中，加入茯苓粉。小火煮至米烂即可。煮好后，可以根据个人口味调味食用。

这个方子非常经典，方中黄芪长于补气，治疗气虚乏力、表虚自汗等效果非常好；茯苓有利水渗湿、益脾和胃、宁心安神之功；粳米能益脾胃，除烦渴。这道粥经常喝，可以益气补肺、固表止咳，像有些人爱感冒、经常呼吸道感染，可以常喝。

5. 文登刺参

海参是生活在海边至 8000 米深处的海洋棘皮动物，距今已有六亿多年的历史，以海底藻类和浮游生物为食。说起海参，文登刺参可谓名扬全国。刺参是我国 20 多种食用海参中质量最好的一种，而品质比较好的是山东半岛和辽东半岛附近海域的刺参。海参同人参、燕窝等齐名，是八大珍品之一。但是海参不仅是珍贵的食品，也是名贵的药材。据《本草纲目拾遗》记载：海参，味甘咸，补肾，益精髓，摄小便，壮阳疗痿，其性温补，足敌人参，故名海参。海参具有提高记忆力、延缓性腺

衰老、防治动脉硬化及抗肿瘤等作用。

文登刺参的食用方法，最为经典的当属海参小米粥了。先把小米用清水浸泡半小时捞出，放入电饭煲中，加入事先炖好、调好味的鸡汤煲粥。然后在炒锅里加入清水、生姜，大火烧开后将泡发好的海参下锅煮 2 分钟，再将海参加入煲熟的米粥中即可食用。

6. 文登海蛎子

文登海蛎子肉质肥美爽滑，营养丰富，素有“海底牛奶”之美称。干牡蛎肉含蛋白质高达 45% ～ 57%。此外，还含有多种维生素及牛磺酸和钙、磷、铁、锌等营养成分。文登的桑蛎，因其盛产于桑岛而得名，是胶东海珍蛎子中的佼佼者，早在宋代就是贡品。据光绪本《文登县志》记载：桑蛎“味清而腴”。清代学者郝懿行在《记海错》中说：“文登海中桑岛出者（指桑蛎），清味绝异，远近珍之。”

海蛎子的学名叫牡蛎，是一味中药，古人将动物药称为“血肉有情之品”。明代李时珍《本草纲目》记载：“牡蛎肉，甘温无毒，煮食治虚损，调中，解丹毒，

补妇人气血，以姜醋生食，治酒后烦热，止渴。炙食甚美，令人细肌肤，美颜色。”

在这里推荐两种做法。一是炭烤海蛎子：将刷净的海蛎子放在炉架上烤至稍微张口，将备好的蒜片、辣椒酱插抹其中，继续烤至张口即可食用。二是炸海蛎：先把洗净的蛎肉沥干水分，加入盐、料酒等调料腌制备用，再把淀粉盛入碗中，打入鸡蛋，加上清水后搅匀。将腌好的海蛎肉均匀地裹上面糊，入油锅炸熟即可食用。

三、常用中药材质量辨识

“三月茵陈四月蒿，五月六月当柴烧”，由于中药材是大自然的产物，因此自然有优劣之分。再加上由于利益的驱使，中药材市场中鱼目混珠、以次充好，甚至把煎过的药渣、主要成分被提取过的中药、制作的假中药拿来出售都颇为常见，屡禁不止。所以，懂得一些常用中药材的辨识知识尤为重要。

1. 海参

鲜海参这里自不必提，主要讲一讲入药的干海参。辨识方法如下：一是看。优质的干海参外表发黑，尤其是文登刺参，参刺坚挺粗壮，虽经过水煮、低温冷风干燥等多道程序处理，但是看起来仍然栩栩如生，让人垂涎。尤其是海参质量越好、年份越足，参刺就会越整齐密集。相反，如果干海参体表发白、参刺短小杂乱，则质量较差。二是闻。优质干海参由于加工工序严谨，身上会有一股淡淡的海水鲜味，而劣质海参闻起来则发腥发臭。三是尝。优质干海参经过泡发后，体积会增加到原来的 5 ～ 10 倍，身体会呈现淡淡的红色，并且尝起来肉质筋道有嚼劲，肉壁厚实，味道鲜美让人难忘。

2. 西洋参

在部分地区，由于西洋参价格昂贵，造假现象非常严重，最常见的是用桔梗、萝卜干冒充或者掺假。还有些西洋参，已经被提取了有效成分，再被投入市场流通，保健效果大大降低。那么，什么样的西洋参质量较好呢？一是闻。西洋参的气味非常独特，这点很难仿造。二是尝。西洋参味甘、微苦，所以真正的西洋参入口时有淡淡的清香，稍有点苦味。如果尝起来苦不堪言或者没味道，那就要慎重了。三是看。西洋参通体皱纹自然分布，外皮饱满，纹理清晰，质地结实。一般情况下只要稍加辨识，假冒之品便无处遁形。

3. 丹参

丹参是一种常见的中药材，含丹参酮，有祛瘀生新、活血调经等效用，在治疗妇科疾病、冠心病、神经衰弱等方面具有良好的效果，尤其是很多与丹参有关的中成药，效果明显，如丹参片、丹参口服液等，都是直接用丹参以单方入药，还有复方丹参片、丹田降脂片等，深受心脑血管病人群的喜爱。正因如此，也有大量人群会选择丹参来泡水喝。关于丹参的优劣，主要是通过观察来鉴别。丹参，一是“丹”。丹是红色的意思，所以丹参的外观呈丹红色。购买丹参的时候，可以将其进行泡水试验，真正的丹参泡水后，水的颜色是不会发生变化的。二是“参”。无论是人参、苦参还是丹参，任何参类，都是以根茎入药，优质的丹参多个根茎为一体，比较粗且比较短小。如果在根茎的尾部还生长着数量比较多的细长的根，说明丹参比较新鲜。并且丹参的根茎不直，为弯曲的圆柱形。

4. 阿胶

说起阿胶，还是山东东阿阿胶在全国最为有名。现在，很多女性流行在秋冬时节进食阿胶来调补身体。但是，市场上的阿胶品质同样良莠不齐。一般来讲，可以从以下几个方面来鉴别阿胶：一是看形状。质量好的阿胶呈规则的长方形，胶片大小、薄厚均匀，块形方正。二是看色泽，质量好的阿胶平时看起来“黑如莹漆，色如琥珀”，在强光照射下，呈透明的血红色。而质量较差的阿胶因为做工粗糙，内含较多杂质，所以形状不

规则，多呈现不透明的淡黄色。三是闻气味。在阿胶上哈一口气，质量好的阿胶能发出胶香味，而劣质阿胶则发出一股刺鼻的腥臭味。四是试脆硬度。将阿胶掰开看断面，质量好的阿胶断面光滑。劣质的阿胶掰开后，断面参差不齐，可见明显的裂痕。

5. 枸杞子

近两年，用枸杞子滋肝、补肾、明目的人越来越多。现代研究也证实，枸杞子有调节免疫、抗衰老、抗肿瘤、抗疲劳、降血糖、调节血脂、降血压等功效。枸杞子虽然不存在造假掺假的问题，但是如果常食被硫黄熏过的枸杞子，就会对身体产生危害。那么，怎么鉴别呢？一是看颜色。纯天然的枸杞子呈暗红色，果柄处呈白色。但是被硫黄熏过的枸杞子则颜色过于鲜红，并且果柄处发黄。二是闻气味。抓一小把枸杞子用双手捂上一小会儿，如果是被硫黄熏过的枸杞子会有一股刺鼻的味道。

第五篇

关注健康　调治未病

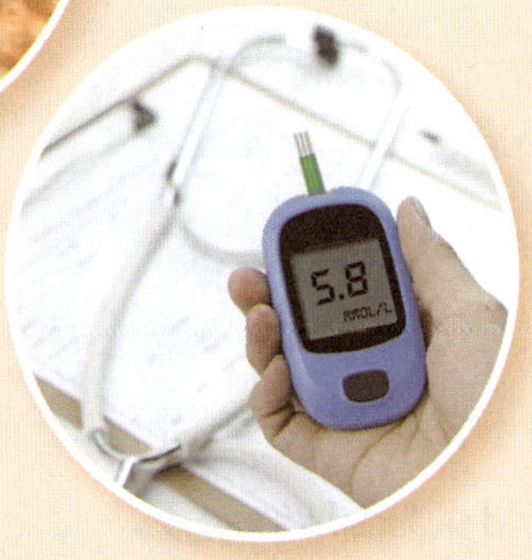

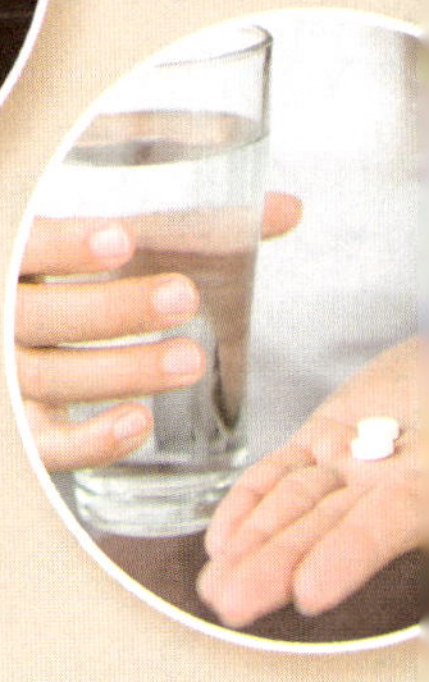

一、这些多发病与我们文登人密切相关

为全面掌控辖区卫生与人群健康状况，提高健康文登建设的科学决策水平，2016 年，文登区人民政府在全国首家发布了县级《卫生与人群健康状况报告》白皮书，首次查清了影响辖区群众健康的死亡谱，通过大数据分析，总结出了排在前十位的导致居民死亡的疾病，探明了不同年龄段居民的健康状况。

其中，在肿瘤方面，导致居民死亡前 5 位的疾病分别是肺癌、肝癌、结直肠癌、胃癌、乳腺癌。其中，男性恶性肿瘤发病前 5 位依次是肺癌、肝癌、胃癌、结直肠癌、前列腺癌；女性恶性肿瘤发病前 5 位依次是肺癌、乳腺癌、结直肠癌、肝癌、甲状腺癌。

在老年人的健康状况方面，指明 2016 年，文登区 65 岁及以上老年人约 9.3 万人，占总人口的 16%。其中，老年人高血压患病率为 27.64%，糖尿病患病率为 8.59%，冠心病患病率为 7.94%，脑卒中患病率为 2.99%。超重、肥胖、吸烟、饮酒等是老年人慢性病发生和发展的主要危险因素。

在影响儿童与青少年健康方面，2015 ～ 2016 学年度，文登区中小学生视力不良检出率为 65.27%；中小学生肥胖检出率为 17.44%，其中，男生为 20.78%，女生为 13.72%。另外，白皮书还关注了手足口病、秋季

腹泻等儿童常见传染病。

接下来，本篇分别以“中老年慢性病科学调理指南、青少年儿童健康解疑、常见癌症的早期信号”为主题，来谈一谈影响文登居民健康的多发病的预防。

二、中老年慢性病科学调理指南

1. 高血压

2016 年，文登区居民高血压患病率为 21.6%，也就是说，每 5 个人中有 1 个患有高血压。高血压的危害非常大，如果不及时治疗可能诱发较严重的脑中风、心肌梗死和肾功能衰竭等并发症。所以，预防高血压尤为重要。

（1）控制好自己的体重

超重与肥胖是高血压的“好兄弟”，当你超重的时候，高血压也会和他的“好兄弟”形影不离。所以，一定要做好自己的体重管理，不要给高血压可乘之机。

（2）不要吃太多的盐

盐是我们生活中最常见、最常用的调味品，可是过量食用就会成为高血压的诱因。世界卫生组织建议每人每天钠盐摄入量不超过 5 克，我们中国人口味普遍偏重，一般要求每人每日不超过 6 克。所以为了避免患高血压，我们一定要控制自己的食盐摄入量。每天多吃一点新鲜的蔬菜、水果，保证清淡饮食。

（3）戒烟限酒

抽烟喝酒是不良习惯，有研究发现，抽烟会导致血管快速收缩、压力增高，从而增加脑出血风险。酒则会增加心率及肝脏的代谢负担，还会促使动脉硬化的产生。

（4）合理运动

劳逸结合是首选的生活方式，那么应该怎样合理运动呢？可分为三个阶段：5～10分钟的热身阶段，20～30分钟的有氧运动阶段，5分钟的放松阶段，慢慢地停下来。有氧运动有慢跑、游泳、太极拳等。

从中医角度讲，高血压虽然是西医病名，但中医有很多关于高血压相关症状的记载。中医认为，高血压的病因病机多跟情志失调、饮食不节、劳逸过度等导致的人体阴阳平衡失调，阴虚阳亢，上扰清窍，升降失常所致。因此，同样要注意控制情绪，注意饮食，适当运动。

2. 糖尿病

文登区居民糖尿病的患病率为8.7%。以前，糖尿病是富贵病，但是随着居民生活水平的不断提高，糖尿病的发病越来越普遍。在糖尿病的防治中，我们创建了三道防线，也就是常说的“三级预防”。

（1）第一道防线——一级预防（未患病人群的预防）

①合理控制体重。俗话说“一胖招百病”，超重是我们不可忽视的问题。平时生活中少吃高糖高脂的东西，如果体重超重的话应适当减减肥。

②加强体育锻炼，这样不仅能保持体重，还能增强自身免疫力。

③注意调整饮食，保持膳食平衡。食用富含纤维素的食品，如谷类、水果、蔬菜；注意补充蛋白质，可以平时炖鱼汤喝，多吃一点豆类食品。

④一定要戒烟限酒。烟酒是引起大多数疾病的重要因素，不仅能损害我们的肺和肝，对心脑血管也没有好处。戒掉烟酒，为我们的健康负责。

（2）第二道防线——二级预防（血糖控制及并发症预防）

①遵从医生的指导控制血糖。

②定时测血糖，一般测量清晨空腹血糖、三餐前及三餐后两个小时血糖。

③尽早做并发症的一系列筛查，注意自己身体的变

化，如果出现视力模糊、脚部发麻要及时去医院检查。

（3）第三道防线——三级预防（降低致死率）

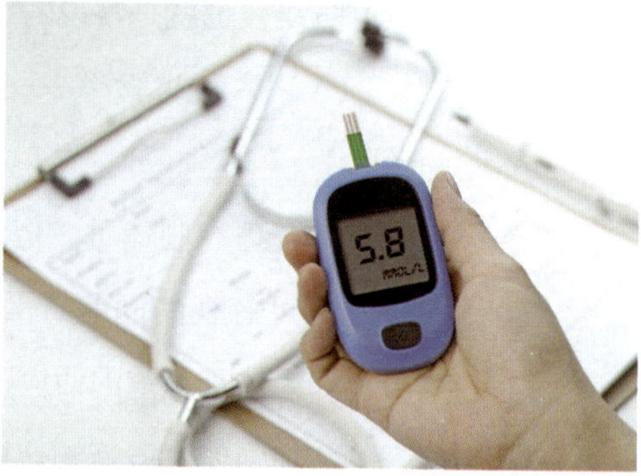

①定期按照大夫的要求到医院复查。

②控制好血糖，定时测量血糖。

糖尿病在中医属消渴的范畴，从《黄帝内经》开始就有记载，因此，如果患有糖尿病，不妨采用中西医结合治疗的方法。

3. 中老年肥胖

俗话说，有钱难买老来瘦。中老年肥胖对健康的危害非常大，它会引起胆道疾病、冠心病、脂肪肝等多种疾病。因此，中老年肥胖人群要注意减体重。

一是均衡饮食，位于饮食金字塔底部的水果蔬菜要多吃，顶部的肉蛋奶类要少吃。尤其是中医认为，饮食要吃七八分饱，要尽量吃得少而全，也就是说，每顿饭的种类可以多一些，但是量要少一些。这样持之以恒，让体重慢慢减到合理的水平。

二是勤运动，通过适量的运动，减掉身体多余的脂肪。这里要注意，老年人的运动量和运动强度不宜过高，以免造成外伤。

三是注意劳逸结合，日常生活中要注意休息，养成夜卧早起和午睡的习惯。

4. 脑中风

脑中风又叫脑卒中，很多人觉得此病多发于老年人，但是近年来中青年发病率也越来越高，很多三四十岁的中年人出现脑中风，导致偏瘫、失语等后遗症。因此，预防脑中风尤为必要。

（1）降低危险因素

控制血压：有高血压的患者应按时服用降压药。每天定时测量血压，记录血压的变化，保持血压稳定。

控制血糖：在医生指导下服用降糖药，监测、记录自己的血糖变化。

控制血脂：如果体重超重需要减肥，平常多吃新鲜的蔬果水果补充维生素及纤维素，不要吃脂肪含量过高的食物，比如肥肉。如果血脂比较高，也可遵医嘱使用降血脂的药物。

（2）养成良好的生活习惯

可以进行晨练，比如慢跑或太极拳等有氧运动。每次运动三十分钟左右，切记不可运动量过大。

（3）要戒烟限酒

吸烟和饮酒会引起心率增快、血压升高，加重动脉硬化，这些都是脑中风的危险因素，因此戒烟限酒非常必要。

另外，脑中风虽然可怕，但是它是有先兆征象的。主要有几种信号：流口水、说话变得不利索、短暂性的视力模糊、突然一侧手臂感到没有力气、突然两眼发黑。如果有这些信号的出现，都应该及早到医院做检查，诊断之后进行治疗。这样不仅能有效地预防脑中风，还能大大地降低致残率。

5. 冠心病

冠心病是一种老年人常见疾病，但是近两年发病趋势也越来越年轻化。有相关调查报告显示：冠心病导致的死亡人数占每年死亡人数中的50%，多么庞大的一个数据，所以“预防冠心病”就是珍爱生命！

（1）注意天气变化

冬季是冠心病的“主场”，天气变冷，血管收缩，此时最容易发生心血管疾病。因此，应随天气变化及时增减衣物。

（2）良好的生活方式最重要

首先，要养成良好的饮食习惯。多吃蔬菜水果补充维生素，多吃一些蛋白质含量高的食物，比如瘦肉、鸡蛋、豆腐等。

其次，一定要戒烟限酒，因为烟酒是心血管疾病的导火索。

再次，控制好自己的情绪，放松精神，保持心情平和，适当进行有氧运动，不仅可以强身健体，还能提高睡眠质量。

最后，养成定时排便的习惯，保持大便通畅，避免便秘。如果便秘严重时可选择使用开塞露辅助排便。

（3）坚持服药

高血压患者需要按医生指导服药，不可随意停药或擅自更改剂量。定时监测血压，记录自己的血压变化情况。平时随身携带硝酸甘油、速效救心丸等急救类药物。如果出现胸部压榨性疼痛，呼吸逐渐费力，要及时服药，服药后要尽快到医院就诊，查明病因，尽早治疗。

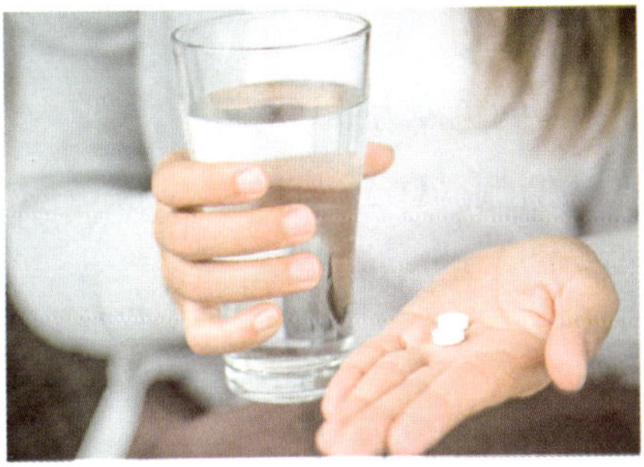

6. 类风湿关节炎

近年来，类风湿关节炎的发病率逐年升高。从西医上讲，类风湿关节炎是一种自身免疫性疾病。从中医上讲，其主要与人体正气强弱关系密切，如果正气不足，则易感外邪，邪气乘虚而入，流注筋骨，导致经络气血瘀滞不通，关节肿痛、不能屈伸。此病不仅与免疫、遗传等因素有关，与我们的环境及生活习惯更是息息相关。为了降低类风湿关节炎的发病率，我们应该从环境、生活习惯等因素着手。

（1）环境因素

不要长期居住在潮湿的环境中，以免风、寒、湿邪犯体。另外，从事水产、渔业工作的人要注意做好防护。

（2）生活习惯

夏天的时候不要过多吹空调或者风扇，冬天的时候要注意保暖。晚上不要在风口处停留，以免受凉。如果不小心淋雨或者受凉，可以适当泡泡热水澡、温泉，或者喝一碗姜汤御寒。

强身健体是根本，可以增强身体的免疫力。平时可以做一些有氧运动，比如慢跑、练瑜伽、打太极拳等。运动后注意保护关节，可以进行适当的关节按摩，平时泡澡的时候也可以做一些关节运动。

虽然类风湿关节炎是一种自身免疫性疾病，但保持良好的生活习惯也能大大降低发病率。梳理好自己的心情，来迎接新的挑战！

7. 酒精性肝病

过度饮酒首先伤害的便是肝脏，是酒精性肝病的根本病因。虽然酒精性肝病能给人带来很大的伤害，但这也是我们最好预防的疾病。简单来讲就是遵循一个原则——“少饮酒，多保肝”。

（1）少饮酒

适量饮酒可以软化血管，对身体有一定的好处。

但过度饮酒不仅会损坏血管，还会伤及身体的解毒器官——肝脏。如果肝脏功能下降了，不能好好地为身体解毒，可想而知，其他器官都会受到牵连。所以，饮酒一定要适量。

（2）多保肝

怎样保护我们的肝脏呢？首先，中医认为，肝胆之气，易于郁滞。因此需要保持一个好的心情，让我们的肝脏愉悦地工作。其次，在饮食上多食用保护肝脏的食物，比如苹果、猕猴桃、红枣、山药、西兰花等，以清淡为主要原则，少吃路边摊的油炸食品。最后，一定要保证充足的睡眠。中医认为肝胆一般在晚上 11 点到凌晨 3 点开始工作，“卧则血归于肝”，所以一定要早睡，为肝脏营造一个安稳愉快的工作环境。

8. 慢性胃炎

胃是身体最大的消化器官，我们平时吃的所有的食物都是通过胃来进行最初消化的。随着社会的进步，生活节奏变得越来越快，很多人养成了早餐不规律或暴饮暴食等习惯，给胃造成了严重的伤害。这时候就容易引发一系列胃病，最为常见的便是慢性胃炎。那么我们应该怎样防治呢？

（1）注意调节饮食

第一步：规律饮食。从中医上来讲，早上七点到九点是胃经当令，我们应该按时吃早餐，并且要坚持“早餐吃饱，午餐吃好，晚餐吃少”的原则。

第二步：我们应该怎么吃呢？狼吞虎咽吗？虽然这样可以节省时间，但是却给我们的胃造成了很大的负担。所以我们应该细嚼慢咽，这样可以减少粗糙食物对胃黏膜的伤害及刺激。

第三步：我们应该吃什么？如果觉得自己的胃消化功能比较虚弱，就不要吃粗糙的食物，要吃一些容易消化的精细食物，当然肯定要富含蛋白质，这样才能更好地补充营养。放置过久的食物不要吃，尽量选择吃一些新鲜的食物，比如说新鲜的水果和蔬菜。现在大多数年轻人都比较喜欢吃路边摊，偶尔是可以的，但如果长期吃，不仅不卫生，还加重了胃的负担，所以我们要尽量自己做一些清淡的食物来吃。

第四步：中医讲，胃喜温恶寒。胃喜欢热的而不是寒凉的食物，因为寒凉之品容易伤胃。

（2）运动必不可少

平时可以做一些有氧运动，比如打太极拳、步行、慢跑，每次运动时间在半个小时左右，可以有效改善胃肠功能，促进消化，缓解腹胀等症状。

（3）保持愉悦的心情

中医认为，各种情志失调最终都会影响到脾胃功能。

所以，保持一个愉快的心情，能让胃腑得到充分的休养。

三、青少年儿童健康解疑

1. 视力不良

2015～2016学年度，文登区中小学生视力不良检出率为65.27%，其中，男生为62.71%，女生为67.80%，整体处于较高水平。不同年级不同性别的中小学生视力不良检出率结果表明，随着年级增高，不同性别中小学生视力不良检出率均呈增长趋势。

视力不良对青少年的危害较大，比如会导致生活不便、影响学习、导致容貌改变，经常出现视物模糊、眼睛干涩等现象，还会影响前途，比如与海运、航空等有关的专业将来不能报考等。因此，青少年视力不良一定要尽早矫正。

第一，合理用眼。有相关研究表明，六岁以下的儿童，每次接触电子产品的时间不应超过二十分钟；六岁以上的儿童接触时间不得超过四十分钟，每天累计不要超过一个小时。所以，家长每天要控制孩子玩电脑、看电视的时间。平时孩子读书写字的时候，应保持正确的坐姿。如果需要长时间用眼，建议每隔一个小时让孩子向远处眺望或者观望绿色的植物，这样可以缓解眼部疲劳。

第二，注意眼部的卫生及清洁。叮嘱孩子当眼睛进沙子或者有异物时不要用脏手去揉眼睛，也不要用自己的衣服去擦眼睛，保持眼部的卫生清洁。

第三，加强体育锻炼，增强孩子的体质。可以带孩子打打羽毛球、乒乓球等，这样孩子的眼睛可以跟随羽毛球或乒乓球运动，起到了缓解视力疲劳的作用。

第四，要保持孩子的营养均衡。改掉孩子挑食的毛病，平时让他们多吃瓜果蔬菜。可以补充一些对眼睛比较有利的食物，比如胡萝卜、蓝莓、猕猴桃、动物的肝脏等。

第五，注意养肝。中医讲，肝开窍于目，肝藏血，目受血而能视。因此，生活中可以多吃一些清肝明目的食物，如鸭肉、荸荠、香蕉、藕、枸杞子等。

最后，要定期检查视力。如果孩子有经常眨眼睛的行为就要多多关注，带孩子去检测一下视力情况。

2. 青少年肥胖

文登区中小学生肥胖检出率为 17.44%，其中，男生为 20.78%，女生为 13.72%。不同年级不同性别中小学生肥胖检出率结果表明，男生肥胖检出率高于女生，肥胖儿童血脂明显高于正常儿童。青少年肥胖的危害非常大，会导致高血压、高胰岛素血症、脂肪肝、呼吸道疾病、消化系统疾病、性早熟、低智商等，甚至还会引起心理问题。这点家长要千万注意。

第一，从饮食着手，改变不好的饮食习惯，做到膳食平衡。不要让孩子吃过多的油炸食品、膨化食品等高油脂类食品及含糖量高的食物，多吃蔬菜水果，保证体内维生素的摄入。平时让孩子少喝饮料，尽量喝白开水，或多吃一些比如鱼汤、瘦肉、鸡蛋等营养丰富的食品，促进孩子生长发育。

第二，从运动着手，给孩子制定合理的运动计划。在假期的时候可以带孩子去爬山、游泳等，这样不仅可以令孩子得到有效的锻炼，还可以增进亲子之间的感情。平时可以让孩子进行慢跑、跳绳、爬楼梯等一些运动量不是特别大的项目，也可以根据孩子的兴趣爱好选择击剑、跆拳道等一些技术型运动，亦可强身健体。

3. 秋季腹泻

秋季腹泻的流行期是 9 月到次年 1 月，也就是说，秋冬季是高发季节，并不单单是秋天发病。民间有句俗话，“忽然一阵风儿凉，拉肚小儿排成行”，就是这个道理。小儿秋季腹泻不及时治疗可能会导致心肌炎等并发症，所以家长们一定要注意它的一些早期症状。

（1）秋季腹泻的早期症状

一是发病比较急。很多孩子早期会伴有咳嗽、流涕、鼻塞等感冒症状，还有些孩子会出现低烧。二是孩子大便次数开始增多，一天能达到10次左右。大便多呈现绿色、白色、黄色的蛋花汤样，一般没有腥臭味。三是呕吐和脱水。约有一半左右的孩子会出现呕吐，或是上吐下泻。如果孩子拉肚子次数过多，就会伴有脱水的症状。

孩子患了秋季腹泻，家长一定要及时带孩子上医院治疗，大部分孩子都可以很快康复，家长们不用担心。需要提醒一点，就像上面说的，秋季腹泻会诱发电解质紊乱、心肌炎等，如果医生认为孩子有相关的症状，需要进行必要的检查，家长们要积极配合医生的治疗。

（2）给家长的建议

宝宝一得秋季腹泻，人马上就瘦下来了，家长会比较心疼孩子，难免关心则乱。下面给家长们提两点建议：

一是别一看孩子瘦，就让孩子大吃大喝，鸡蛋、海鲜、大鱼大肉等最好暂时停掉。当然，也不能让孩子禁食，应当鼓励他们少量多餐，多吃些流质或者半流质的容易消化的米面类食物。有道“炒米汤”非常好，宝妈们不妨给孩子做一下。就是把大米洗净晾干，放在炒锅里炒成金黄色，然后煮粥给孩子喝，健脾益气，还容易消化吸收。

二是如果孩子需要补液，宝妈们一看孩子又要扎针了，很心疼，但该打吊针补液的时候也不能犹豫。另外，可以熬点苹果水给孩子喝，有涩肠止泻的作用。还可以用石榴皮熬水给孩子泡脚，俗话说，“洗洗脚，止住屙”嘛！

（3）秋季腹泻的预防方法

①病从口入应重视。注意饮食卫生，少吃街边小吃等卫生质量不达标的食品。

②餐具玩具须消毒。孩子常用的餐具尽量置于消毒柜中，常用的玩具应经常在流水下清洗。

③饭前便后勤洗手。保持个人卫生清洁，有效防止病毒入侵。

④公共场所应少去。减少感染病毒的机会，避免接触腹泻的患者。

⑤家中窗户常通风。排出室内的浑浊空气，保持空气清新。一般早中晚分别开窗通风 20 分钟左右。但晚上 6 点以后尽量不要开窗通风，这时室外空气质量也比较差。室内卫生要常打扫，不要有卫生死角。

⑥强身健体不可少。多参加户外锻炼，进行有氧运

动，增强体质。

⑦增减衣物应科学。秋季昼夜温差较大，应根据天气预报科学地为孩子增加或减少衣服。

4. 手足口病

手足口病作为一种流行病，让家长“谈病色变”。其实，手足口病也没那么可怕，它主要是由多种肠道病毒引起的。要预防手足口病，第一步就是防止各种肠道病毒的入侵。家长应该怎样迎战呢？

（1）勤清洗，常通风

孩子天性活跃，喜欢接触大自然的一切，总会有细菌、病毒喜欢黏着孩子，因此在吃饭前、玩耍后一定要洗手。特别是便后，不仅要洗手，更要把孩子的小屁股洗干净。孩子平时喜欢的玩具也要好好清洗，使用的餐具不仅要清洗，如果有条件还需要好好消毒。家长要定时开窗通风，让房间里的空气更加清新，让孩子神清气爽。

（2）喝开水，吃熟食

不要让孩子喝生水，吃生食。夏天的时候，尽量不让孩子吃雪糕、冰沙等一系列寒凉食物，小儿本身脾胃就比较弱，不要再给孩子的脾胃增加负担，否则会影响孩子的气血生化，降低预防疾病的能力。

（3）少外出，勤更衣

小儿本身抵抗力较差，带孩子外出时不要去人口密集的地方。上午可以带孩子多晒晒太阳，晚上室外空气质量较差，尽量不要带孩子外出。家长应该每天关注天气变化，根据气温适当为孩子增减衣物，不要盲目加衣服或者减衣服。

5. 性早熟

近年来，性早熟的发病率越来越高。什么是性早熟呢？性早熟主要是指青春期提早出现。简单说就是孩子出现与年龄不相符的第二性征，比如说女孩子八岁之前有乳房增大，男孩子九岁之前性器官就发育。现在的科学还不能完全证明性早熟主要是由什么原因引起的，但认为与整个环境及生活习惯都有关系，比如家长盲目地给孩子吃补品、孩子缺乏正确的性教育等。那么我们应该从哪些方面预防呢？

（1）注意饮食

目前社会的食物、环境等都或多或少地存在着一些能促进性激素合成与分泌的因子，孩子们性早熟的机会变多了。比如说有的养殖户为了提高产量，给鸡、猪喂一些含有激素的饲料，而这些鸡肉、猪肉最后都流到了餐桌，吃进了孩子的肚子里。因此，要注意对食物原材料的选择，并且注意营养均衡。

（2）加强锻炼，注意休息

适当增加体育活动，这样不仅能增强孩子的免疫力，也能促进孩子的生长发育。孩子晚上睡觉时一定要关灯，不要给孩子玩手机等电子产品，保证孩子有充足的睡眠，养成良好的睡眠习惯。

（3）早发现，早治疗

性早熟越早发现治疗效果越好，不论中药还是西药，只要合理用药，就能马上抑制发育。所以，家长要做的便是提早发现孩子的早熟特征。女孩子性腺发育的第一表现是乳房，是从乳腺发育开始的。因为乳房对雌激素最为敏感，稍有刺激就有反应。乳房发育后才伴随着阴道分泌物的出现及阴唇的变化，最后才是来月经。千万不要把月经当成性腺发育的第一表现，因为等到月经来的时候说明性发育已经持续一段时间了。男孩子则是阴茎、睾丸的变大，颜色加深，随后才出现喉结、腋毛的变化。

一般来说，女孩子 8 岁之前，男孩子 9 岁之前，只要出现性器官发育就属于早熟。所以在生活中，父亲要担当起留意儿子性发育时间的责任，母亲要担当起观察女儿性发育时间的责任，发现苗头就及时扑灭。

6. 多动症

现在，患多动症的孩子越来越多。多动症的危害非常大。比如，患多动症的孩子因为多动，注意力难以集中，大多不能安心学习、成绩不理想，并且容易顽皮捣乱，甚至打架，在受到责骂时容易引起心理问题。早期如果不及时治疗，还会延至成年。由于情绪无法自控，性格易冲动，可谓影响前途，影响一生。如果是多动症，应及时进行系统治疗。但是，预防多动症的产生更为重要。

如果你是准妈妈，怀孕后一定要注意保持心情愉悦，不要乱用药，不要吸烟喝酒，保证胎儿在子宫内健康成长。在分娩的时候，如果可以自然生产，就不要选择剖宫产，这样会大大减少多动症的发病概率。

一个良好的家庭氛围也是预防多动症的关键，对孩子进行科学适当的教育，不要过于溺爱孩子，也不要对孩子过于苛刻。平时可以多陪孩子逛公园、逛游乐场，这样不仅可以增进与孩子的感情，还可以促进孩子的身心健康。

还要使孩子养成良好的睡眠习惯及饮食习惯。现在生活条件好了，孩子们肉、蛋、奶吃得比较多，非常容易食积内热。中医讲“脾为生痰之源”，当孩子脾胃有积热的时候，特别容易生痰热。痰热过盛就会上扰神明，导致心神不宁，孩子就会多动、冲动。有些孩子脾虚肝旺，还会出现脾气暴躁、易怒等症状。

7. 营养不良

谈到营养不良，很多家长认为孩子比较瘦就是营养不良，有时候也会担心孩子不太喜欢吃肉，会不会营养不良。事实上，营养不良主要是指摄入不足、吸收不好，或者说过度损耗营养素所造成的营养不足。从中医的角度讲，其主要是由于脾胃虚弱、运化吸收不佳造成的。具体给大家提供以下几个小妙招来预防营养不良。

（1）善饮食

当宝宝还是婴儿的时候就应该注意其营养的摄入，母乳中含有大量婴儿时期所需要的营养物质，是不能用奶粉等其他乳制品代替的。但是六个月以后母乳的分泌会逐渐减少，就需要渐渐地加入辅食，这样才能更好地为孩子补充营养。孩子逐渐长大，应多吃水果蔬菜补充维生素，多食用一些高蛋白质的食物，比如鱼肉、豆腐、鸡蛋等。

（2）健脾胃

家长可以将手掌轻轻地贴在孩子的小腹，以肚脐为中心顺时针方向按揉。这样可以促进孩子的肠胃蠕动，预防小儿便秘，增强孩子消化吸收的功能，使孩子更好地生长发育。

（3）勤运动

孩子比较小的时候可以辅助孩子运动，比如活动拉伸一下孩子的关节，还可以多带孩子进行户外运动，散步、玩耍等。孩子在运动中可消耗热量，增强食欲，也能提升孩子抵抗疾病的能力。

（4）测体重

要定期给孩子测量身高、体重，并与正常的身高、体重做对比，如果发现有异常差异，应该及时调整孩子的饮食、生活习惯。差异比较大时，应该及时就医。

虽然现在人们的生活水平在不断提高，不会出现像以前那样吃不饱的情况，但是也应尽早做好对营养不良的预防，让孩子健康快乐地长大。

8. 蚊虫叮咬

每到夏天，最让我们头疼的问题就是蚊虫叮咬！那么我们应该怎样科学地防止蚊虫叮咬呢？

要防止蚊虫叮咬，首先要阻断容易滋生蚊虫的环境。家里应勤打扫、勤开窗通风；及时清理厨房、卫生间等容易滋生蚊虫的垃圾；家里尽量不要驯养小猫或者小狗，如果已经驯养要经常为它们洗澡，以防滋生虫蚤。

傍晚的时候不要到户外活动，特别是有草丛的地方；晚上睡觉的时候不要开灯，以免招来蚊虫；我们可以在床上挂蚊帐；也可以使用杀虫剂，但是要等家中的药味儿挥发完之后才可以进入房间；最重要的还是要搞好个人卫生，夏天的时候容易出汗，要勤洗澡、勤更衣，祛除身上的汗味儿；平时应该多吃一些蔬菜水果，这样不易被蚊子叮咬，就算不幸被叮咬了之后也不会特别痒。

如果被蚊子叮咬了不要慌张，不要让孩子用手去抓被叮咬的地方。可以在叮咬的地方涂上花露水，起到消炎镇静的作用。

四、常见癌症的早期信号

《2016年度威海市文登区卫生与人群健康状况报告》显示，2015年，文登区居民恶性肿瘤报告新发病例1955例。并且，不同年龄组人群恶性肿瘤发病构成表明：40岁及以下人群恶性肿瘤发病人数构成比累计仅占3.58%，40～59岁年龄组人群占30.28%，60岁及以上年龄组约占66.67%。可以看出，随着年龄的增长，恶性肿瘤发病率增高，60岁及以上老年人是恶性肿瘤的高发人群。

癌症虽然让人谈之色变，但是它是一种慢性疾病，早期是有信号的，越早发现并进行系统治疗，存活的时间自然就越长。另外，癌症也不全是绝症，大多数癌症在早期发现的时候都有相应的治疗控制方法。所以，我们应该尽早发现癌细胞发出的信号。一般情况下，大多数的癌症都有以下四种早期信号：

①肿块的出现。癌症早期在身体局部会有肿块、结节的出现，如乳房、甲状腺或者体表及腋下的淋巴结肿大。认真对待身体的每一个变化、每一个肿块的发生发展，及时到医院进行病理检查。

②有异常的出血现象。比较常见的异常出血有：大便带血、尿中有血丝、咳嗽时咳出红血丝、鼻子异常的出血、没有月经时的阴道出血。

③身体出现不明原因的疼痛。比如经常出现头痛、胸口痛、颈部疼痛等。大家应该注意的是，“没有相关原因”的疼痛才可能是癌症发出的信号。

④出现高热不退的现象。一般的发热有一个过程，持续的时间比较短，采取降温措施之后效果比较显著。癌症引起的发热一般没有固定的规律，属于“不规则热”，持续高热或者持续低热、反复发热都要引起重视。

下面，我们对文登区居民发病率较高的几种癌症进行详细讲解。

1. 肺癌

研究发现，近年来肺癌发病率与死亡率的增长都是最快的。导致肺癌发生的原因有很多，比如不良的生活习惯、环境污染等。那么当肺癌来临之时会有哪些症状呢？

①咳嗽。大多数肺癌患者最开始出现的症状就是咳嗽，有人会说，平时我们受凉感冒也会咳嗽，那么应该怎样区别呢？肺癌引起的咳嗽一般为干咳，吃止咳药不会有明显的好转，有时候也会出现干咳带血的情况，这个时候就要警惕肺癌的来临了。

②声音嘶哑。大约有 30% 的肺癌患者首发现象是声音嘶哑，主要表现就是讲话比较费力，声音嘶哑，通过雾化等药物治疗也不能明显改善。

③胸部疼痛。肺癌早期胸部疼痛的表现不明显，只是间断性隐隐作痛。当有不明原因的胸骨疼痛时，应尽早去医院检查。

④有极少数患者会出现杵状指等骨科症状，偶尔会伴随反复发热，应引起重视。

2. 结肠癌

结肠癌是悄无声息的，在消化系统癌症中也一直是一个“低调”的成员。但是当结肠癌“高调”起来的时候，往往也会给身体造成难以挽救的伤害。

①排便习惯改变。结肠癌患者最早出现的是排便习惯的改变，平时规律的排便会被扰乱，会出现便秘或者腹泻的情况。

②粪便颜色、性状改变。如果不及时控制，癌细胞便会肆意妄为，造成便中带血的现象，一旦出现脓血便要抓紧时间去医院了。

③肠鸣音的改变。肠鸣音就是指肠道蠕动发出的声音，是我们用耳朵贴近腹部时听到的一阵咕噜咕噜的规律响声。当肠鸣音开始变得没有规律的时候，忽而高亢、忽而低沉，一定要注意可能是癌细胞光临的早期信号。

④腹部肿块的出现。由于每个人体质的不同、癌细胞性质的不同，有的患者腹部会出现移动的肿块，这时要尽快去医院诊断包块的性质。

3. 胃癌

说起胃癌，常常会让人不寒而栗，为什么呢？第一，胃癌的发病率在所有恶性肿瘤中排在前列。第二，胃癌发生早期难以被发现，癌细胞无声无息地就开始工作了。虽然看起来让人十分头痛，但还是可以捕捉到早期信号。

①上腹部疼痛或者有灼热感。患者会出现反酸、嗳气、食欲减退、消化不良的症状，很多人会认为这可能是胃炎、胃溃疡引起的。需要提醒的是，大多数胃癌就是由这些普通的胃病发展而来的。不怕一万，就怕万一，所以还是要及早去医院检查，排除危险因素。我们在平常的生活中要养成良好的饮食习惯，保护好自己的胃。

②体重下降。这是最多见也是最容易分辨的信号，一旦出现，就证明癌细胞已经严重影响我们的消化吸收功能了，那么就必须抓紧时间治疗了。

4. 乳腺癌

提到乳腺癌，大家会想到电视剧《红楼梦》中林黛玉的扮演者——陈晓旭女士。正值芳华，却被乳腺癌夺走了生命。乳腺癌已成为对当代女性威胁最大的恶性肿瘤之一，尽早发现乳腺癌，可以达到更好的治疗效果！

①乳房肿块。乳腺肿块是80%患者的首发症状，早期肿块大多数是无痛单发的小肿块，多位于乳房的外侧。女孩子平时不要害羞，要有自己检查乳房的习惯。站在镜子面前观察自己双侧的乳房是不是对称，用手轻轻揉按乳房感觉是不是有肿块，发现异常要尽早到医院

检查。

②乳头及乳晕的异常。部分患者早期会出现乳头回缩，伴乳头破溃、脱皮等现象，一旦发现就要及时到医院治疗。

③腋下淋巴结肿大。乳腺癌有三分之一的可能性会发生淋巴结转移，导致淋巴结肿大，女性朋友平时应注意观察。

5. 肝癌

肝脏是我们体内的解毒器官，负责清运体内的垃圾、毒素。近年来，我国肝癌的发病率呈缓慢上升趋势，病死率也随之上升，排在癌症死亡率的第三位。肝癌发病有上升和年龄趋小的势态，应引起重视。下面是肝癌的四大早期信号。

①疲惫乏力。在早期的症状中，大多数患者都会感到没有力气，即使充分休息，也很难缓解乏力的症状。

②食欲下降。这是肝癌早期较明显的症状，常伴随面色发黄，这就是为什么大多数肝癌患者早期会被当作胃病治疗。如果有食欲下降等相关症状出现，一定要去医院做相关检查，明确病因。

③突然消瘦，体重下降。查不到原因的消瘦，通过补充蛋白质、脂肪等营养依旧没有明显的体重上升，应及时去医院就诊。

④对慢性肝炎应重视。大家都知道肝癌发生的三部曲：慢性肝炎—肝硬化—肝癌。所以，肝炎、肝硬化患者，要及时治疗，控制疾病的发展。

6. 甲状腺癌

甲状腺癌看似是恶性肿瘤中一个不起眼的家伙，仅占全身恶性肿瘤的1%，但发病率却在逐年升高，不能不引起我们的重视。

甲状腺癌在早期没有特别明显的症状，大多数患者会首先发现脖子部位有肿块，随着病程的进展，癌细胞继续入侵，肿块逐渐增大变硬，表面高低不平。所以，平时应注意经常按揉自己的脖子，如果发现有肿块或者脖子突然有变粗的现象，应及时去医院治疗。

大多数甲状腺癌是由甲状腺结节发展而来，但有一定的时限，所以当发现有甲状腺结节时，应采取合适的治疗措施，当结节快速成长发展的时候一定要及时就医，进行排癌筛查，控制发展，定时进行检查治疗。

7. 前列腺癌

前列腺癌是男性发病率较高的恶性肿瘤。其早期症状如下：

①排尿困难：这是早期最常见的症状，有时候会有尿不尽、尿频、尿急、尿失禁的情况，如果癌细胞发展较快，肿瘤压迫直肠的时候也会引起排便困难。

②疼痛：早期，部分患者会有腹部、臀部疼痛的症状，但比较隐匿，容易被大家忽视。

在众多恶性肿瘤中，前列腺癌相对比较沉默，越是这样我们就越难把控，所以最好的方法就是平常定期体检，发现问题及早就医。

最后需要提醒的是，由于西医对肿瘤的治疗多采用放化疗的方式，并且西药的副作用也比较大，而中医药则既可以针对肿瘤进行治“标”，还可以鼓舞正气来治“本”。因此，中西医结合治疗肿瘤的效果要优于单纯的西医治疗。

第六篇

医学常识 养生必知

一、发烧不一定都是坏事

说起发烧，大家马上就会想到退烧药。尤其是很多家长，特别害怕孩子发烧，一见孩子发烧恨不得马上把孩子的体温降下来。

其实，一个人发烧的时候，就像“外敌”在入侵他的身体，此时大脑会发出指令，派一支白细胞“部队”去抵抗入侵。这时候，人体的白细胞增多，抗体生成活跃，肝脏的解毒功能增强，物质代谢速度加快，体温升高，能使病人的抵抗力有所提高。如果这时候吃了退烧药，体温可能当时是退下了，但是药效一过，就会反复发烧。

发烧的时候正是身体的免疫力在起作用的时候，所以从另一个角度看也不是坏事。因此不必特别担心。那么，发烧是不是就不用退烧药呢？当然不是！

一般情况下，当体温低于38.5℃时，可以不用退热药，最好是多喝开水，同时密切注意病情变化，或者应用物理降温的方法；若体温超过38.5℃，则可以服用退烧药。另外，发烧的时候不要“捂”，这样做会影响散热降温，对于孩子来讲还会诱发小儿高热惊厥。正确的做法是，在没有冷风直吹的情况下，脱去过多的衣服，或松开衣服，以利于散热。

二、咳嗽要立即止咳吗

很多人认为咳嗽也不是什么大问题，会自行到药店买止咳药服用。另外，当孩子出现咳嗽的时候，很多家长忍受不了，孩子一声轻咳，到家长耳朵里就跟炸雷差不多。但是，出现咳嗽最好不要立即止咳。

人为什么会咳嗽呢？大家应该都有这样的经历，比如吃饭的时候不小心呛到了，异物进到了气管，就会不自主地使劲咳嗽，直到把这个异物咳嗽出来才能停止。

所以，咳嗽是什么？咳嗽就是身体自主排除咽部、气管异物及肺部痰液的过程。

生病导致的咳嗽也是同样的道理，一开始是偶尔咳嗽一声，这时候一般没有痰，但紧接着有点痰，慢慢能把痰咯出来，就是好转了。痰全部咯出来，再咳嗽一两天才会完全好，这是人体一个自愈的过程。因为痰就是身体黏膜组织分泌的黏液，包裹细菌、病毒、异物之类，使其易于排出体外。

如果这时候用上镇咳药、气管扩张药，初用时确实效果挺明显的，立刻不咳嗽了，但过不了几天，就又出现咳嗽了，反而比上次更加严重。原因很简单，体内还有病菌或异物没有排出，镇咳药当时压住了，但药效过后肯定会接着咳。

所以，如果出现咳嗽，不要立即服用止咳药。其实，这时候用中药效果会比较好，因为西医讲究“镇咳”，也就是通过镇压的方式来止咳，而中药则是通过“宣肺、化痰、理气”的方式让肺气宣发出来，也就是帮助肺脏共同把病菌排出体外。

三、中西药怎么吃最有效

现在，越来越多的人开始认识到中医药的优势了。但是，拿到中药后大家会专门问问大夫，是饭前吃还是饭后吃？其实可以归结为一句话：病在上焦饭后吃，病在中焦两顿之间吃，病在下焦饭前吃。

先跟大家说说啥是三焦。三焦是中医藏象学说中一个特有的名词，为六腑之一，是位于躯体和脏腑之间的空腔，包含胸腔和腹腔，人体其他脏腑器官均在其中，是上焦、中焦和下焦的合称，即将躯干划分为 3 个部分。横膈以上为上焦，包括心、肺；横膈以下至脐为中焦，包括脾、胃、肝、胆等内脏；脐以下为下焦，包括肾、大肠、小肠、膀胱。

所以说，如果治疗头疼、咳嗽、感冒，中药应当于饭后吃。可以简单理解为，治疗心、肺、头部等上焦疾病的药物，药性都是要往上走的，如果对这类药你先吃药，再吃饭，饭就会压住药物，影响药物作用上行。

如果有大便干、拉肚子、遗尿等下焦疾病，药物就要饭前吃，因为药性是下行的，先吃药，药物就会一路绿灯，畅行无阻，这样效果才好。

当然，如果有食积、脾虚、肝火旺盛等中焦的问题，那吃药时间最好在两顿饭之间。

那有人会问了，西药什么时候吃效果好？这里也一并给大家解答一下。西医没这么多讲究，可以翻看一下药物说明书，如果对胃肠道有刺激，那就饭后吃，如果没刺激，那就饭前吃，吸收率高一些。

四、为什么不要滥用抗生素、激素

现在，广大居民对抗生素、激素的使用非常盲目。一方面，很多人对这些药物的认知不足；另一方面，还有很多人生病时太急功近利，一发烧马上就想着退烧，一咳嗽马上就想着消炎。总之，一有病马上就想快速治愈。这时候就出现了滥用抗生素、激素的现象。

抗生素对孩子的危害尤为严重。比如说，在门诊上经常碰到有些孩子反反复复得化脓性扁桃体炎，一个月一次或两次这样频繁，每次都是用抗生素、退烧药、激素，家长可能不知道，这类孩子若干年以后发生恶性肿瘤，尤其是发生结缔组织病的概率会非常高。

对于激素的使用，现在很多省市级医院都比较注意了，滥用激素的情况也比以前大大减少了。但是，有时候到一些地市、县级医院或者乡村卫生院就发现，很多小孩子一发烧，几乎都会用到地塞米松。这是个长效的激素，儿童是不能轻易使用的，尤其是在婴儿时期，一定要非常慎重。

另外，抗生素、激素容易伤及脾胃，最常见的就是对胃肠道的刺激，很多人服用一段时间抗生素后，出现了肚子胀、不消化、不想吃饭等症状；还有些人会出现免疫力低下，容易反复感染，反复生病；再者是肝脏、肾脏的损害；有些还会影响到孩子身体的发育，诱发过敏等。所以，大家不要自行购买抗生素、激素类药物，要在医生的指导下使用。

五、为什么说睡眠是最好的补药

现在，熬夜的人越来越多。有些人是由于工作的原因加班加点，还有些人是看电视，玩手机娱乐到半夜。

甚至还有些家长自己熬夜，导致孩子也跟着推迟睡眠时间。

大家要明白，睡眠对身体健康的作用极其重要。睡眠可以消除疲劳，恢复体力。睡眠期间是胃肠道及有关脏器合成并制造人体能量物质的好时机，可以保护大脑，恢复精力，大脑在睡眠状态下耗氧量大大减少，有利于脑细胞的能量贮存。睡眠还能增强免疫力，人体在正常情况下，能对侵入的各种抗原物质产生抗体，并通过免疫反应而将其清除，保护人体健康。同时，睡眠还可以使各组织器官的自我修复加快。

为什么有个词叫“睡美人”？因为睡眠可以延缓衰老，保持青春活力。经常熬夜的女性会出现黑眼圈、精神不振、双目无神、皮肤粗糙等情况，所以，睡眠对于女性来讲是最好的化妆品。

另外，睡眠足的儿童长得高，智力高。睡眠与儿童生长发育密切相关，婴幼儿在出生后相当长的时间内，大脑继续发育，这个过程离不开睡眠。而且儿童的生长速度在睡眠状态下增快，因为生长激素分泌量的高峰主要集中在两个时间段，一个在晚上九点至凌晨一点，另一个是早上六点前后的一两个小时。其中前一个是大高峰，后一个是小高峰。特别是晚上十点前后，生长激素的分泌量达到最高，为白天的 5 ～ 7 倍。所以，睡眠足的孩子个子高，也更聪明。

六、一天要不要喝够 8 杯水

前几年有一句话流传至今，就是“人要想健康，一天得喝八杯水”。关键是很多人信了！那么问题来了，这八杯水怎么个喝法？杯子又有多大？没人知道。所以，一天八杯水是句空话！

人一天该喝多少水，不能固定，为啥呢？人有高矮胖瘦，喝水要根据身体的需要，比如说小便就是一个很好的参考，如果小便黄，那说明体内有火，就得多喝水；如果小便白，那说明体内水多了，就要少喝水。要喝多少水，可以根据人一天排泄多少尿液来进行估量。正常情况下，一个人一天的尿量是 1500 ～ 2500 毫升。喝水多了，就会增加肾脏的负担，容易伤到肾脏。喝水少了，肾脏就容易偷懒，时间长了对肾脏也不好。

所以，肾脏每天正常工作需要的水分应当是“正常尿量+500～700毫升”，注意，这是一整天需要的水量，包括食物中的水分在内。

水除了参与代谢，还有调节体温、帮助排毒等功能。所以有人说，水是世界上最廉价也是最神奇的药。这话一点也不为过！为了我们的身体健康，所以要养成每天坚持喝水的好习惯，不要等到感觉渴的时候再喝，因为那已经说明身体在发出不健康的信号了。

第七篇

千年流传　强身健体

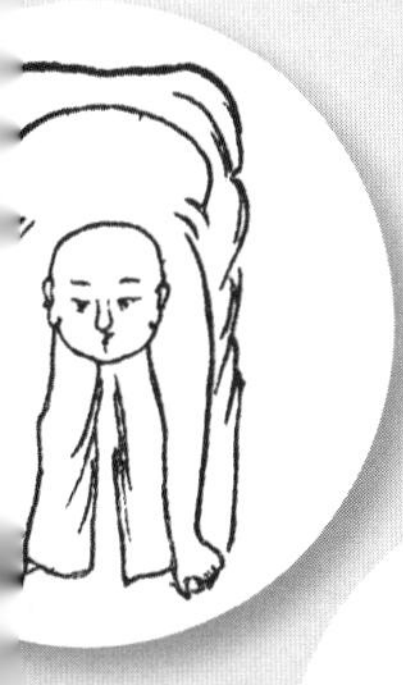

在我国古代，有几套非常系统的锻炼方法流传至今，比如八段锦、五禽戏、太极拳。它们强身健体、延年益寿的作用历来为养生之人所重视。

一、八段锦

西方有一条健康箴言，叫“生命在于运动”，其实我们的古代圣贤很早就认识到了这个道理。

《吕氏春秋》上记载：“流水不腐，户枢不蠹。”意思就是指经常流动的水不会腐烂发臭，经常转动的门轴不会遭受虫蛀。而人若想保持健康也要经常让自己“动”起来，只有运动才有旺盛的活力，才有蓬勃的朝气，生命力才能持久。

所以，古代人非常重视锻炼，而八段锦就是这种理念践行后的成果结晶。八段锦是古代一套体系完整的锻炼功法，相当于同学们课间做的广播体操。因为动作优美，犹如绸缎，只有八个动作及八句口诀，故名“八段锦”。

相传八段锦是岳飞创制的，还有传说是道教八仙中的钟离权创造，虽然老百姓各执其词，但也从侧面反映了八段锦为大家所熟知的广泛程度。明代朱元璋的第十七个孩子朱权，因好养生之术，还特意把八段锦功法编成歌谣，边唱边做，便于记诵，所以一直流传至今，而且还传播到了朝鲜、日本等国。

第一段：双手托天理三焦

自然站立，两足平开与肩同宽，双膝微屈，含胸收腹，腰脊放松。正头平视，口齿轻闭，宁神调息，气沉丹田。两掌五指分开在腹前交叉，掌心向上，缓缓上托至胸前，手掌由内向外翻转，掌心向上，两臂继续上托，上动不停，两腿随之缓缓挺膝伸直。随后身体重心慢慢下降，两腿膝关节微屈；十指慢慢分开，两臂分别向身体两侧缓慢下落，两掌捧于腹前，掌心向上，目视前方。配合上举时吸气，下落时呼气。上述动作反复六次。

人体三焦主司疏布元气和流行水液，此动作通过拔伸腰背，提拉胸腹，可以促使全身上下的气机流通，水液布散，从而使周身都得到元气和津液的滋养，经常练习对睡醒后易出现眼袋、脸部水肿有较好疗效。

第二段：左右开弓似射雕

两脚开立与肩同宽，两膝关节自然伸直。两掌向上于胸前处交叉，左掌在外，两掌心向内，目视前方。两腿缓慢屈膝，身体下蹲成马步；右掌屈指成“爪”，向右拉至与右乳同高；左掌成八字掌，向左侧推出。身体重心右移；右手五指伸开成掌，向右上划弧，与肩同高，指尖朝上；左手指伸开成掌，掌心斜向后。重心继续右移；左脚回收成站立姿势；两掌分别从两侧下落，捧于腹前，指尖相对。

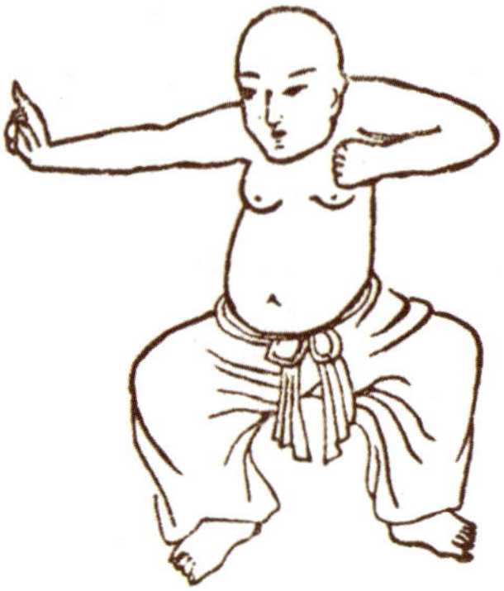

左右相反，再做一次。然后将全部动作再重复两遍。做第三遍最后一个动作时，身体重心继续左移；右脚回收，成站立姿势，两膝微屈；两掌分别由两侧下落，捧于腹前，指尖相对，掌心向上，目视前方。

我们知道脑力活动需要大量氧气，如果氧气供给不足就会头晕眼花。这一段可以抒发胸气，消除胸闷，增强肺活量，同时还能消除久坐引起的肩背部疲劳感，使精力充沛。

第三段：调理脾胃须单举

左手沿左胸前缓缓上举，翻转掌心向上，掌指向右，肘关节微屈，力达掌根，并向左外方用力举托，同时右手下按；两腿随手上举缓缓伸直，目视前方。身体重心缓缓下降，两膝微屈；左臂屈肘外旋，左掌经面前下落缓缓放下，右手上提迎接左手，最后两手停于腹前。

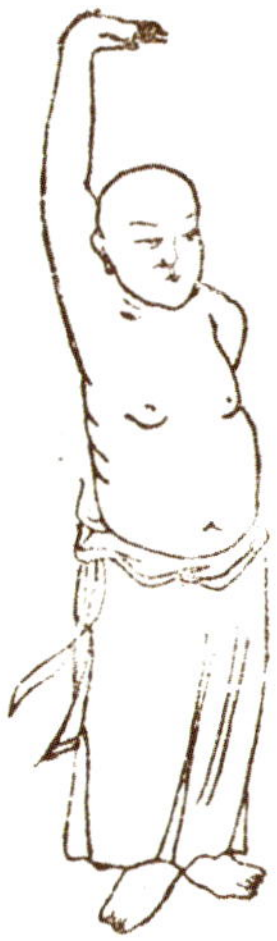

左右相反，再做一次。然后将全部动作再重复两遍。做第三遍最后一动作时，两腿膝关节微屈；双臂屈肘，手掌下按于髋旁，掌心向下，掌指向前；目视前方。

中医认为此段可以“调理脾胃”，有助于消化吸收，增强体质。

第四段：五劳七伤往后瞧

两腿慢慢挺膝伸直；两臂伸直，掌心向后，指尖向下，目视前方。然后，两臂充分外旋，掌心向外；头向左后转，稍停片刻；眼看左斜后方。身体重心缓缓下降；两腿膝关节微屈；两臂内旋按于两髋旁，掌心向下，指尖向前；目视前方。

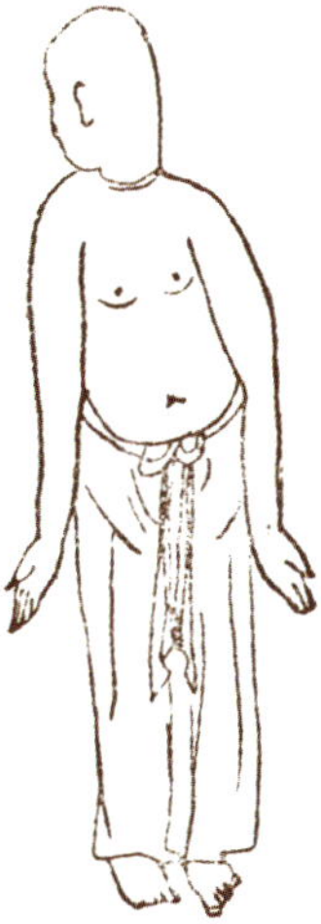

左右相反，再做一次，然后将全部动作再重复两遍。

“五劳”出自《素问·宣明五气》，久视伤血，久卧伤气，久坐伤肉，久立伤骨，久行伤筋，是谓五劳所伤。“七伤”出自《金匮要略》，是指食伤、忧伤、饮伤、房室伤、饥伤、劳伤、经络营卫气伤。五劳七伤不是病，但此时身体健康已经开始走下坡路了，也就是西医所说的“亚健康”状态，如果不及时调整，休养生息，发展为疾病是迟早的事情。而“五劳七伤往后瞧”这一段可以有效调整人体的亚健康状态。

第五段：摇头摆尾去心火

身体重心慢慢左移；右脚向右横开一步站立，两膝自然伸直；两掌上托与胸同高时，两臂内旋，两掌继续上托至头上方，肘关节微屈，掌心向上，指尖相对；目视前方。两腿慢慢屈膝下蹲，成马步；两臂向两侧下落，两掌扶于膝盖上方，肘关节微屈，小指侧在前，虎口向内；目视前方。身体重心稍向上升，然后向后右方移；上身先向右倾，随后向右前方俯身，眼看右脚；身体重心向左移，上身由右向左前方旋转，眼随身体转动而视左脚。身体重心右移，成马步；头向后摇，上体立起，随之下颏微收；目视前方。

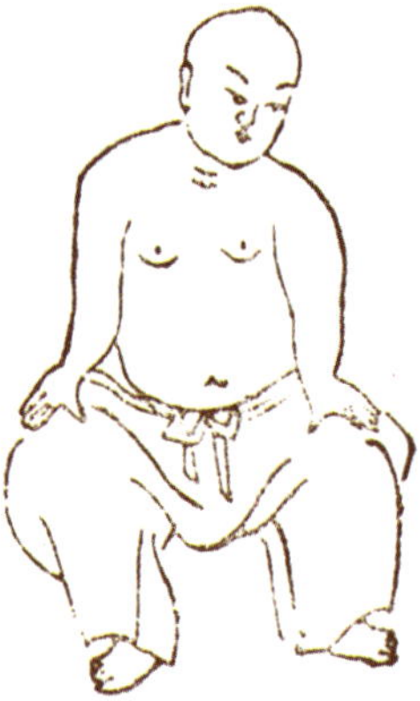

左右相反，再做一次。然后将全部动作再重复两遍。

我们经常会听见一句话叫“年轻人火气大”，这个火气就是心火。“心为君主之官”，心就像是高高在上的太阳，而年轻人不就是刚刚升起的太阳吗？所以，年轻人在充满朝气的同时，也容易内火旺盛。而这一段能祛心火，对口腔溃疡、口臭、便秘等有缓解作用。

第六段：两手攀足固肾腰

两膝伸直站立；十指指尖向前、两臂向前上举起，肘关节伸直，掌心向前；目视前方。两臂外旋，屈肘，两掌慢慢下落于胸前，掌心向下，指尖相对。两臂外旋，掌心向上，顺腋下向后插；两掌心向内沿脊柱两侧向下摩运，经臀部、脚两侧至脚面，目视前下方，动作略停。两掌沿地面前伸，随之用手臂缓慢带动上身起立，两臂伸直上举，掌心向前；目视前方。

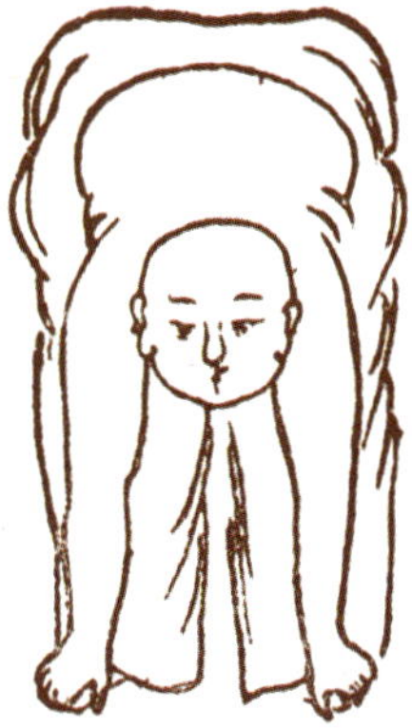

上述动作共做六次，然后两手收于腹前，目视前方。

这一段使人体的督脉和足太阳膀胱经得到拉伸牵扯，对生殖系统、泌尿系统及腰背部的肌肉都有调理作用。

第七段：攒拳怒目增气力

身体重心右移，左脚向左横开一步；两腿缓缓屈膝下蹲，成马步；两掌握固，置于腰侧，拳眼朝上；目视前方。随后，左拳缓慢用力向前冲出，与肩同高，拳眼朝上；瞪目，视左拳冲出方向。左臂内旋，左拳变掌，虎口朝下，随后外旋，肘关节微屈；左掌向左缠绕，变掌心向上后握固；眼看左拳。屈肘，回收左拳至腰侧，拳眼朝上；目视前方。

左右相反，再做一次。然后将全部动作再重复两遍。起身，两手置于身侧，目视前方。

肝主筋，开窍于目，在志为怒。这一段马步冲拳，怒目瞪眼，均可刺激肝经系统，使肝血充盈、肝气疏泄，能强健筋骨。那些个性内向、久坐少动之人，气血多有瘀滞，对其尤为适宜。

第八段：背后七颠百病消

两足并拢，两腿直立、身体放松，两手臂自然下垂，手指并拢，掌指向前。随后双手平掌下按，顺势将两脚跟向上提起，稍作停顿；将两脚跟下落着地，达到轻震地面的效果为宜。反复练习六次。

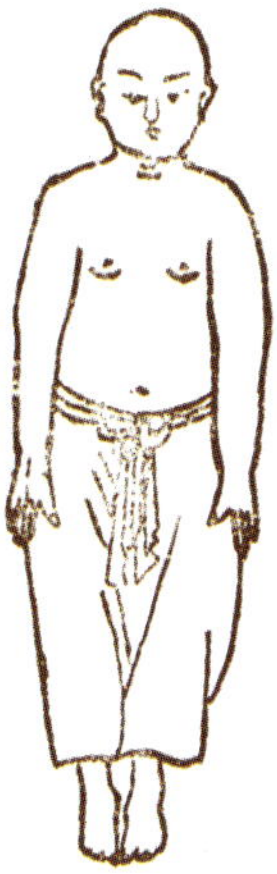

俗话说，“百步走不如抖一抖”。这一段踮足而立，拔伸脊柱，下落导致全身的抖动，令人十分舒服，不仅有利于消除百病，也正好可以作为整套功法的收功。

总结起来，这八段锦便是：双手托天理三焦，左右开弓似射雕，调理脾胃须单举，五劳七伤往后瞧，摇头摆尾去心火，两手攀足固肾腰，攒拳怒目增气力，背后七颠百病消。记诵简单，动作易学。大家可以从八段中调出任何一段进行练习，也可以整套做完。如果是晚上，还可以在锻炼的时候放一些轻音乐，有助于舒缓精神。

我们常说“内练一口气，外练筋骨皮”，而八段锦就可以很好地激发自身调理能力，并且每一招都有中医理论作为根据，只要长期坚持就可以达到“寒暑不能入，灾病不能侵”的效果。

二、五禽戏

现代科学中，有一种学科叫“仿生学”，就是通过了解生物的结构和功能原理，来研制新的机械和技术，或解决机械技术的难题。比如人类的祖先受鱼儿的启发，发明了最早的船桨；意大利达·芬奇通过对鸟类进行仔细的解剖，研究鸟的身体结构，并认真观察鸟类的飞行方式，设计和制造了一架扑翼机。

同样，仿生学在医疗养生中也有广泛应用，传统的医疗养生就是借鉴某些生物的优异能力，通过肢体运动把它模拟化，然后应用这些原理去设计和编创养生锻炼法。早在一千多年前的东汉，名医华佗就模仿虎、鹿、熊、猿、鸟五种动物创制了“五禽戏”。

《后汉书·方术列传》记载华佗对弟子吴普说：“吾有一术，名五禽之戏：一曰虎，二曰鹿，三曰熊，四曰猿，五曰鸟。亦以除疾，兼利蹄足，以当导引。体有不快，起作一禽之戏，恰而汗出，因以著粉，身体轻便而欲食。”

相传广陵郡的吴普，年轻的时候是一个手不能提、肩不能担的阔少爷，从小体弱多病。有一次又病倒了，华佗去给他看病，一摸脉，六脉和平，一点病没有。华佗心中有底了，说：“人要想身强体壮，减少疾病，延年益寿，最有效的办法就是劳动锻炼。”于是便把五禽戏传授于他，吴普谨遵华佗的教诲日日练习，到了一百多岁，依旧耳不聋、眼不花、发不白、齿不落。

既然五禽戏这么神奇，那我们一定要认真学习学习。在练习之前，先掌握以下锻炼过程中需要用到的手势。

虎爪： 五指张开，虎口撑圆，第一、二指关节弯曲内扣。

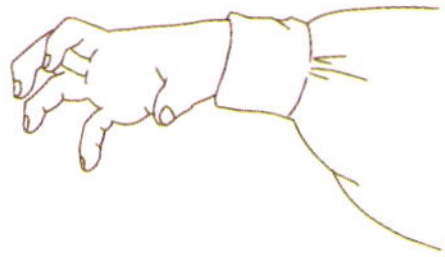

鹿角： 拇指伸直外张，食指、小指伸直，中指、无名指弯曲内扣。

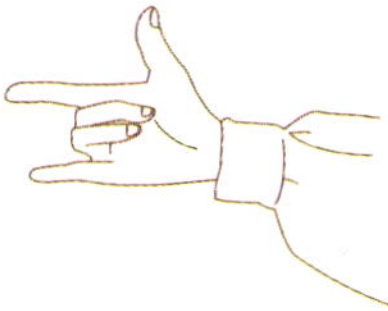

熊掌： 拇指压在食指指端上，其余四指并拢弯曲，虎口撑圆。

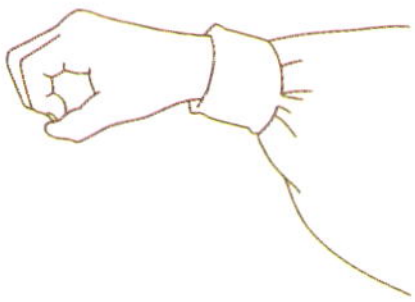

猿钩：五指指腹捏拢，屈腕。

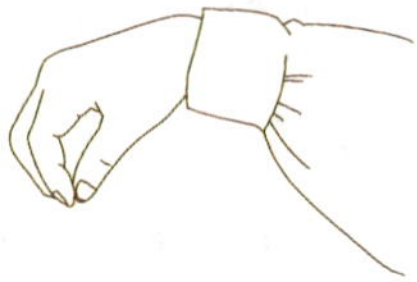

鸟翅：五指伸直，拇指、食指、小指向上翘起，无名指、中指并拢向下。

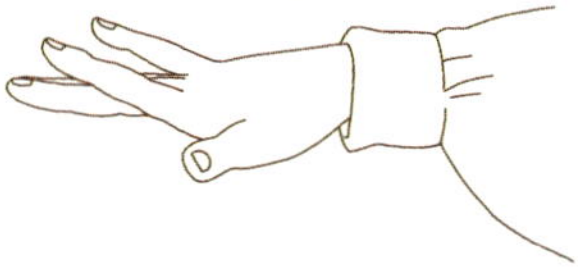

握固：拇指抵掐无名指指根节内侧，其余四肢屈拢收于掌心。

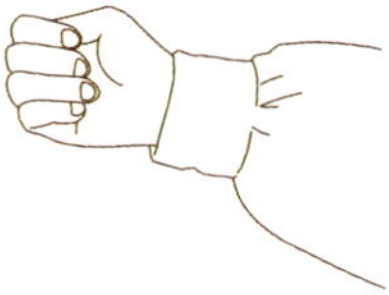

第一戏：虎戏

（1）预备式：站立位，头颈正直；两脚并拢，两手自然垂于体侧，掌心向内。左脚向左横开一步，稍宽于肩，两膝微屈；两肘微屈，两臂在体前向前上平托。两掌向内翻转，掌心向下，并缓慢下按于腹前；随后，两手自然垂于体侧。全身放松，把自己想象成一头老虎。

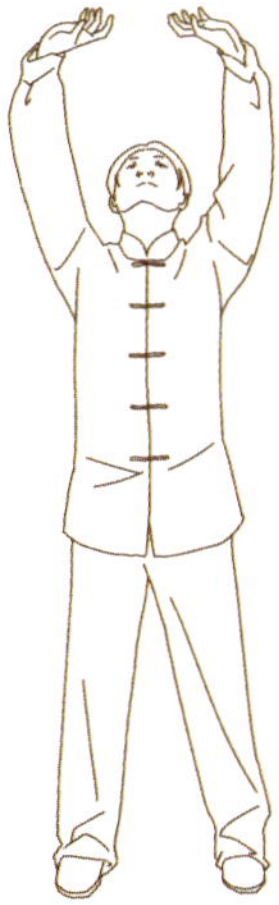

（2）虎举式：两手掌心向下，十指撑开，弯曲成虎爪状；随后，两手外旋，小指先弯曲，其余四指依次弯曲握拳；至肩前时，十指撑开，举至头上方再弯曲成虎爪状。

两掌外旋握拳，拳心相对，慢慢下拉；两拳下拉至肩前时，两拳变掌继续下按。两掌下按至腹前，十指撑开，掌心向下。

如此三次后，两手自然垂于体侧，目视前方。

（3）虎扑式：两手握空拳，沿身体两侧提至肩前上方；上体前俯，挺胸塌腰；两手向前上划弧，十指弯曲成“虎爪”，掌心向下；眼看前方。

两腿屈膝缓慢下蹲，收腹含胸；两手向下划弧至两膝外侧，掌心向下；眼看前下方。

随后，两腿伸膝，挺腹，上身后仰，两膝稍弯曲；两掌握空拳，沿体侧上提至胸部；眼看前上方。

左腿屈膝提起，两拳上举。左脚向前迈出一步，脚跟着地，右腿屈膝下蹲，成左虚步；同时上体前倾，两拳变“虎爪”向前下扑至膝前两侧，掌心向下；眼看前下方。

随后上体抬起，左脚收回，开步站立；两手自然下落于体侧，目视前方。

左右相反再做一遍，然后将上述动作全部重复一遍。

虎戏主肝，经常锻炼可以起到舒筋、养肝、明目的作用。

第二戏：鹿戏

（1）预备式：同上，把自己想象成一头雄鹿。

（2）鹿抵式：两腿微屈，身体重心移至右腿上，左脚经右脚内向左前方迈步，脚跟着地；身体稍向右转；两掌握空拳，拳心向下，与肩齐平；眼随手动，看右拳。

身体重心前移；左腿屈膝，脚尖稍向外展踏实，右腿伸直蹬实；身体左转，两掌成“鹿角”，向左上后方划弧，掌心向外，指尖朝后，左臂弯曲外展平伸，肘抵靠左腰侧；右臂举至头前，向左后方伸抵，掌心向外，指尖朝后；眼看右脚跟。随后，身体右转；左脚收

回，开步站立；同时两手右下划弧，两掌握空拳下落于体前；眼看前下方。

左右相反再做一遍，然后将上述动作全部重复一遍。

（3）鹿奔式：左脚向前跨一步，屈膝，右腿伸直成左弓步；两手握空拳，向前上划弧至体前，屈腕，高与肩平，与肩同宽，拳心向下；目视前方。

身体重心后移；左膝伸直，右腿屈膝；低头，弓背，收腹；两臂内旋，两掌前伸，掌背相对，拳变成“鹿角”。

身体重心前移，上身抬起；右腿伸直，左腿屈膝，成左弓步；松肩沉肘，两臂外旋，“鹿角”变空拳，与肩齐平。

左脚收回，成站立位；两拳变掌，收于体侧，指尖向下。

左右相反再做一遍，然后将上述动作全部重复一遍。

鹿戏主肾，经常练习鹿戏，可以刺激肾脏，起到壮腰强肾的作用。

第三戏：熊戏

（1）预备式：同上，把自己想象成一头黑熊。

（2）熊运式：两掌握空拳成“熊掌”，拳眼相对，垂于下腹部；眼看两拳。

以腰、腹为轴，上体做顺时针摇晃；两拳随之沿右肋部、上腹部、左肋部、下腹部画圆；目随上体摇晃环视。

如此反复两次。随后，按照同样方法左右相反再做一次。最后两拳变掌下落，自然垂于体侧，目视前方。

（3）熊晃式：身体重心右移；左髋上提，牵动左脚离地，再左膝微屈；两掌握空拳成“熊掌”；眼看左前方。

身体重心前移；左脚向左前方落地，全脚掌踏实，脚尖朝前，右腿伸直，成左弓步；身体向右转，左臂内旋前靠，左拳摆至左膝前上方，拳心向左；右拳摆至体后，拳心向后；眼看左前方。

身体左转，重心后坐；右腿屈膝，左腿伸直，成右弓步；转腰晃肩，带动两臂前后弧形摆动；右拳摆至左膝前上方，拳心向右；左拳摆至体后，约与髋同高，拳心向后；眼看左前方。

身体右转，重心前移；左腿屈膝，右腿伸直成左弓步；同时左臂内旋前靠，左拳摆至左膝前上方，拳心朝左；右拳摆至体后，约与髋同高，拳心向后，眼看左前方。

左右相反再做一遍，然后将上述动作全部重复一遍。最后两拳变掌下落，自然垂于体侧，目视前方。

熊戏主脾，经常练习熊戏，可使不思饮食、腹胀腹痛、腹泻便秘等症状得到缓解。

第四戏：猿戏

（1）预备式：同上，把自己想象成一只猿猴。

（2）猿提式：两掌在体前，手指伸直分开，再屈腕撮拢成“猿钩”，眼看两掌。

两掌上提至胸部，两肩上耸，收腹提肛；脚跟提起，头向左转；眼随头动，看身体左侧；随后，头转正，两肩下沉，松腹落肛，脚跟着地；“猿钩”

变掌，掌心向下；目视前方。

两掌沿体前下按落于身体两侧，目视前方。

左右相反再做一遍，然后将上述动作全部重复一遍。

注意习练“猿戏”时，“猿钩”的快速变化，意在增强神经—肌肉反应的灵敏性。两掌上提下按，扩大胸腔体积，可增强呼吸，按摩心脏，改善脑部供血。

（3）猿摘式：左脚向左后方退一步，脚尖点地，右腿屈膝，重心落于右腿上；左肘屈曲，左掌成“猿钩”收至左腰侧；右掌向右前方上摆，掌心向下，眼看右掌。

身体重心后移；左脚踏实，屈膝下蹲，右脚收至左脚内侧，脚尖点地；右掌向下经体前向左上方划弧至头左侧，掌心对准太阳穴；眼先随右掌动而视，再转头看右前上方。

右掌内旋，掌心向下，沿体侧下按于左髋侧；眼看右掌。右脚向右前方近出一大步，左腿蹬伸，身体重心前移：右腿伸直，左脚尖点地；右掌向身

体右上侧摆动画弧，举至右上侧变“猿钩”，稍高于肩；左掌向前、向上伸举，屈腕撮钩，成采摘势；目视左掌。

身体重心后移；左掌由“猿钩”变为“握固”，右手变掌，自然中回落于体前，虎口向前。随后，左膝微屈下蹲，右脚收至左脚内侧，脚尖点地；左臂屈肘收至左耳旁，掌指分开，掌心向上，成托桃状。右掌经体前向左画弧至左肘下捧托；目视左掌。

左右相反再做一遍，然后将上述动作全部重复一遍。

起身，左脚向左横开一步，两腿直立，两手自然垂于体侧。目视前方。

猿戏主心，心主血脉，常练猿戏，可以改善心悸、失眠多梦、盗汗、肢冷等症状。

第五戏：鸟戏

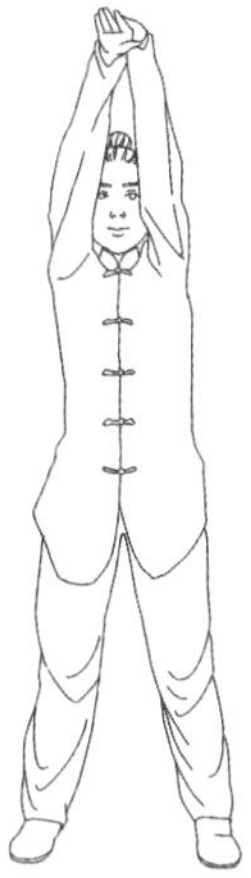

（1）预备式：同上，把自己想象成一只鸟。

（2）鸟伸式：两膝微屈下蹲，两掌在腹前相叠。

两掌经体前向上举至头前上方，掌心向下，指尖向前；身体向前倾，提肩，缩项，挺胸塌腰；目视前下方。

两膝微屈下蹲，两掌相叠缓慢下按至腹前，目视两掌。

身体重心右移；右腿伸直，左腿伸直向后抬起，两掌左右分开，掌成“鸟翅”，从身体两侧向后方摆起，掌心向上；抬头，伸颈，挺胸，塌腰；目视前方。

左右相反再做一遍，然后将上述动作全部重复一遍。左脚下落，成站立位，自然垂于体侧；目视前方。

（3）鸟飞式：两膝微屈；两掌成“鸟翅”合于小腹前，掌心相对；目视前下方。

左腿屈膝提起，小腿自然下垂，脚尖朝下，右腿伸直独立；两掌成展翅状，在体侧平举向上，略高于肩，掌心向下；目视前方。

左脚下落在右脚旁，脚尖着地，两膝微屈；两掌画圆下落合于腹前，掌心相对，指尖斜向下；目视前下方。

左腿屈膝提起，小腿自然下垂，脚尖朝下，右腿伸直独立；两掌经体侧，向上举至头顶上方，掌背相对，指尖向上；目视前方。

左脚下落在右脚旁，全脚掌着地，两膝微屈；两掌画圆下落合于腹前，掌心相对，指尖斜向下；目视前下方。

左右相反再做一遍，再将上述动作全部重复一遍。然后两掌经体前，向身体侧前方举起，与肩同高，掌心向上；目视前方。屈肘，两掌经体前内合下接，两臂自然垂于体侧，目视前方。

鸟戏主肺，常练鸟戏，可以增强人体呼吸功能，胸闷气短、鼻塞流涕等症状可以得到缓解。

人虽为万物之灵，但有些地方确实不如动物。不过人类的可贵之处是善于学习和模仿，而五禽戏就是人在向动物们学习强身健体之道。五禽戏中任何一戏，大家都可以单独拿出来练习，非常易学，长期坚持就可以强身健体。

三、太极拳

在众多武侠文学和影视作品中，都离不开太极拳的影子。太极拳是武术的一种，自古武术就是强身健体的重要方式，习武之人通过经年累月的练习可以“站如松，坐如钟，行如风”。实践证明，太极拳确实可以改善神经、心肺、肢体的多种功能。

其实，太极拳和中医有着深厚的渊源，它们都是基于中国古代“阴阳五行”和“天人合一”的哲学智慧，通过外在方式达到修身养性、陶冶情操、强身健体、益寿延年的目的。而且太极拳在长期发展中与中医的“吐纳”“导引”“经络”等理论相结合，逐渐形成了一种内外兼修、柔和、缓慢、轻灵、刚柔相济的汉族传统拳术。

太极拳历史悠久，时至今日已经发展出陈式、杨式、武式、吴式、孙式、和式等众多流派，其中有很多动作不易掌握，需要长期练习。本文向大家详细介绍一下由国家体育总局推广的“24式简易太极拳”，这24个动作相比于传统的太极拳套路来讲，内容更显精练，动作更显规范，最主要的是方便练习。

练习之初，尽量找一个环境优雅安静的地方，比如说公园或学校操场，然后身体自然站立，两脚并拢，两手垂于大腿外侧。头颈正直，口闭齿扣，胸腹放松，眼睛平视前方。

1. 起式

左脚向左分开到两脚平行与肩同宽。随后两臂慢慢向前举，自然伸直，两手心向下。然后两腿慢慢屈膝半蹲，同时两掌轻轻下按至腹前。

注意起脚时先提脚跟，高不过足踝，落脚时前脚掌先着地，要做到点起点落、轻起轻落。屈膝时松腰敛臀，上体保持正直，两掌下按时沉肩垂肘。

2. 野马分鬃

第一步：上体稍右转，右臂屈抱于右胸前，左臂屈抱于腹前，成右抱球，左脚收至右脚内侧成丁步。然后上体左转，左脚向左前方迈出一步，成左弓步。同时两掌前后分开，左手心斜向上，右手按至右胯旁，两臂微屈。此为“左野马分鬃”。

第二步：重心稍向后移，左脚尖翘起外撇。上体稍左转，左手翻转在左胸前屈抱，右手翻转前摆，在腹前屈抱，成左抱球，重心移至左腿，右脚收至左脚内侧成丁步。然后上体右转，右脚向右前方迈出一步，成右弓步。同时两掌前后分开，右手心斜向上，左手按至左胯旁，两臂微屈。此为“右野马分鬃”。

第三步：按照第一步再进行一次“左野马分鬃”。

3. 白鹤亮翅

上体稍左转，右脚向前跟步，落于左脚后；同时两手在胸前屈臂抱球。随后，上体后坐并向右转体，左脚稍向前移动，成左脚虚步；同时右手分至右额前，掌心向内，左手按至左腿旁，上体转正，目视前方。

注意抱球与跟步要同时，转身时身体侧转不超过45°，左脚前移与分手同时完成。

4. 搂膝拗步

第一步：上体右转，右手至头前下落，经右胯侧向后方上举，与头同高，手心向上，左手上摆，向右划弧落至右肩前，左脚收至右脚内侧成丁步，眼视右手；随后，上体左转，左脚向左前方迈出一步成左弓步，左手经膝前上方搂过，停于左腿外侧，掌心向下，指尖向前，右手经肩上，向前推出，右臂自然伸直。

第二步：重心稍后移，左脚尖翘起外撇，上体左转，右脚收至左脚内侧成丁步。右手经头前划弧摆至左前肩，掌心向下，左手向左上方划弧上举，与头同高，掌心向上，眼视左手。随后，上体右转，右脚向右前方迈出一步成右弓步，右手经膝前上方搂过，停于右腿外侧，掌心向下，指尖向前，左手经肩上，向前推出，左臂自然伸直。

第三步：和第二步的动作相同，唯左右相反。

5. 手挥琵琶

右脚向前收拢半步落于左脚后，右臂稍向前伸展；上体稍向左回转，左脚稍前移，成左虚步；两臂屈肘合抱，右手与左肘相对，掌心向左。注意两手摆掌时有上挑并向里合之意。合臂时腰下沉，两臂前伸，腋下虚空。

6. 左右倒卷肱

第一步：上体稍右转，两手翻转向上，右手随转体向后上方划弧上举至肩上耳侧，左手停于体前；上体稍左转；左脚提起向后退一步，脚前掌轻轻落地，眼视左手。

第二步：上体继续左转，重心后移，成右虚步；右手推至体前，左手向后、向下划弧，收至左腰侧，手心向上，眼视右手。

第三步：相同动作，唯左右相反做一次第一步。

第四步：相同动作，唯左右相反做一次第二步。

第五步：按照第一步至第四步的完整动作，重复做一遍。

7. 左揽雀尾

第一步：上体右转，右手向侧后上方划弧，左手在体前下落，两手呈右抱球状，左脚收成丁步。

第二步：上体左转，左脚向左前方迈成左弓步；两手前后分开，左臂半屈向体前绷架，右手向下划弧按于左胯旁，五指向前，眼视左手。

第三步：上体稍向左转，左手向左前方伸出，同时右臂外旋，向上、向前伸至左臂内侧，掌心向上。

第四步：上体右转，身体后坐，两手同时向下经腹前向右后方划弧后捋，右手举于身体侧后方，掌心向外，左臂平屈于胸前，掌心向内；眼视右手。

第五步：重心前移成左弓步；右手推送左前臂向体前挤出，两臂撑圆。

第六步：上体后坐，左脚尖翘起；左手翻转向下，右手经左腕上方向前伸出，掌心转向下，两手左右分开与肩同宽，两臂屈收后引，收至腹前，手心斜向下。

第七步：重心前移成左弓步；两手沿弧线推至体前。

8. 右揽雀尾

第一步：重心后移，上体右转，左脚尖内扣；右手划弧右摆，两手平举于身体两侧，头随右手移转。

第二步：左腿屈膝，重心左移，右脚收成丁步；两手呈左抱球状。

第三步至第八步与“左揽雀尾”的第二步至第七步的动作相同，唯左右相反。

9. 单鞭

上体左转，左腿屈膝，右脚尖内扣；左手向左划弧，掌心向外，右手向左划弧至左肘前，掌心转向上，视线随左手运转。随后，上体再右转，右腿屈膝，左脚收成丁步。右手向上向左划弧，至身体右前方变成勾手，腕高与肩平，左手向下、向右划弧至右肩前，掌心转向内，眼视勾手；最后上体左转，左脚向左前方迈出成左弓步，左手经面前翻掌向前推出。

10. 云手

第一步：上体右转，左脚尖内扣，左手向下、向右划弧至右肩前，掌心向内，右勾手松开变掌。

第二步：上体左转，重心左移，右脚向左脚收拢，两腿屈膝半蹲，两脚平行向前成小开立步。左手经头前向左划弧运转，掌心渐渐向外翻转，右手向下、向左划弧运转，掌心渐渐转向内，视线随左手运转。

第三步：上体右转，重心右转，左脚向左横开一步，脚尖向前。右手经头前向右划弧运转，掌心逐渐由内转向外，左手向下、向右划弧，停于右肩前，掌心渐渐翻转向内，视线随右手运转。

第四步：重复第二步和第三步。

第五步：再重复一次第二步。

11. 单鞭

上体右转，重心右移，左脚跟提起；右手向左划弧，至右前方掌心翻转变勾手。左手向下向右划弧至右肩前，掌心转向内，眼视勾手；然后上体左转，左脚向左前方迈出成左弓步，左手经面前翻掌向前推出。

12. 高探马

后脚向前收拢半步，右手勾手松开，两手翻转向上，肘关节微屈；随后，上体稍右转，重心后移，左脚稍向前移成左虚步；上体左转，右手经头侧向前推出，左臂高探马屈收至腹前，掌心向上。

13. 右蹬脚

第一步：上体稍左转，左脚提收向左前方迈出，脚跟着地；右手稍向后收，左手经右手背上方向前穿出，两手交叉，左掌心斜向上，右掌心斜向下。

第二步：重心前移成左弓步；上体稍右转，两手向两侧划弧分开，掌心皆向外，目视右手。

第三步：右脚成丁步；两手向腹前划弧相交合抱，举至胸前，右手在外，两掌心皆转向内。

第四步：两手手心向外撑开，两臂展于身体两侧，肘关节微屈，腕与肩平；左腿支撑，右腿屈膝上提，脚跟用力慢慢向前上方蹬出，脚尖上钩，膝关节伸直，右腿与右臂上下相对，方向为右前方约 30°；目视右手。

14. 双峰贯耳

右小腿屈膝回收，左手向体前划弧，与右手并行落于右膝上方，掌心皆翻转向上；随后，右脚下落向右前方上步成右弓步；两手握拳经两腰侧向上、向前划弧摆至头前，两臂半屈成钳形，两拳相对，同头宽，拳眼斜向下。

15. 转身左蹬脚

第一步：重心后移，左腿屈坐，上体左转，右脚尖内扣；两拳松开，左手向左划弧，两手平举于身体两侧，掌心向外，目视左手。

第二步：重心右移，右腿屈膝后坐，左脚收至右脚内侧成丁步；两手向下划弧交叉合抱，举至胸前，左手在外，两手心皆向内。

第三步：两手手心向外撑开，两臂展于身体两侧，肘关节微屈，腕与肩平；右腿支撑，左腿屈膝上提，脚跟用力慢慢向前上方蹬出，脚尖上勾，膝关节伸直，左腿与左臂上下相对，方向为左前方约 30°；目视左手。

16. 左下势独立

第一步：左腿屈收于右小腿内侧。上体右转，右臂稍内合，右手变勾手，左手划弧摆至右肩前，掌心向右，目视勾手。

第二步：上体左转，右腿屈膝，左腿向右前方伸出成左仆步。左手经右肋沿左腿内侧向左穿出，掌心向前，指尖向左，目视左手。

第三步：重心移向左腿成左弓步，左手前穿并向上挑起，右勾手内旋，置于身后。

第四步：上体左转，重心前移，右腿屈膝提起成左独立步。左手下落按于左胯旁，右勾手下落变掌，向体前挑起，掌心向左，高与眼平，右臂半屈成弧。

17. 右下势独立

第一步：右脚落于左脚右前方，脚前掌着地，上体左转，左脚以脚掌为轴随之扭转；左手变勾手向上提举于身体左侧，高与肩平，右手划弧摆至左肩前，掌心向左；目视勾手。

第二步至第四步同“左下势独立”的第二步至第四步的动作，唯左右相反。

18. 左右穿梭

第一步：左脚向左前方落步，脚尖外撇，上体左转，收右脚，两手呈左抱球状。

第二步：上体右转，右脚向右前方上步成右弓步；右手向前上方划弧，翻转上举，架于右额前上方，左手向后下方划弧，经肋前推至体前，高与鼻平，目视左手。

第三步：重心稍后移，右脚尖外撇，左脚收成丁步；上体右转，两手在右肋前上下相抱。

第四步：同第二步，唯左右相反。

19. 海底针

右脚向前收拢半步，随之重心后移，右腿屈坐；上体右转，右手下落屈臂提抽至耳侧，掌心向左，指尖向前，左手向右划弧下落至腹前，掌心向下，指尖斜向右。

随后，上体左转向前俯身，左脚稍前移成左虚步；右手向前下方斜插，左手经膝前划弧搂过，按至左大腿侧，目视右手。

20. 闪通臂

上体右转，恢复正直；右手提至胸前，左手屈臂收举，指尖贴近右腕内侧，左脚收至右脚内侧；随后，左脚向前上步成左弓步；左手推至体前，右手撑于头侧上方，掌心斜向上，两手分展，目视左手。

21. 转身搬拦捶

第一步：重心后移，右腿屈坐，左脚尖内扣；身体右转，右手摆至体右侧，左手摆至头左侧，掌心均向外；目视右手。

第二步：重心左移，左腿屈坐，右腿自然伸直；右手握拳向下、向左划弧停于左肋前，拳心向下，左手举于左额前，双目向前平视。

第三步：右脚提收至左脚内侧，再向前迈出，脚跟着地，脚尖外撇；右拳经胸前向前搬压，拳心向上，高与胸平，肘部微屈，左手经右前臂外侧下落，按于左胯旁，目视右拳。

第四步：上体右转，重心前移，右拳向右划弧至体侧，拳心向下，左臂外旋，向体前划弧，掌心斜向上。

第五步：左脚向前上步，脚跟着地。左掌拦至体前，掌心向右，右拳翻转收至腰间，拳心向上，目视左掌。

第六步：上体左转，重心前移成左弓步。右拳向前打出，肘微屈，拳眼向上，左手微收，掌指附于右前臂内侧，掌心向右。

22. 如封似闭

第一步：左手翻转向上，从右前臂下向前穿出；同时右拳变掌，也翻转向上，两手交叉举于体前。

第二步：重心后移，两臂屈收后引，两手分开收至胸前，与胸同宽，掌心斜相对，目视前方。

第三步：重心前移成左弓步，两掌经胸前弧线向前推出，高与肩平，宽与肩同。

23. 十字手

第一步： 上体右转，重心右移，右腿屈坐，左脚尖内扣；右手向右摆至头前，两手心皆向外；目视右手。

第二步： 上体继续右转，右脚尖外撇侧弓，右手继续划弧至身体右侧，两臂侧平举，手心皆向外，目视右手。

第三步： 上体左转，重心左移，左腿屈膝侧弓，右脚尖内扣；两手划弧下落，交叉上举成斜十字形，右手在外，手心皆向内。

第四步： 上体转正，右脚提起收拢半步，两腿慢慢直立，两手交叉合抱于胸前。

24. 收式

两臂内旋，两手翻转向下分开，两臂慢慢下落停于身体两侧；目视前方。左脚轻轻收回，恢复成预备姿势。

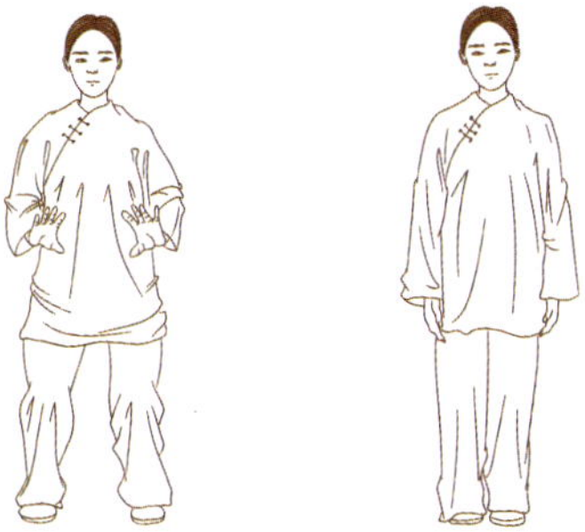

这 24 式中，有些动作简单，有些动作复杂，大家可以先从简单的动作开始，一式一式地分开练习，等到熟练掌握之后再尝试将所有的动作衔接到一起。其实，熟练打完一套“24 式简易太极拳”也只是花费区区 8 分钟左右，相信只要用心，对于聪明的你们来说并不是什么难事。

第八篇

实用验方介绍

一、风寒感冒用生姜葱白红糖饮

受寒引起的感冒，无论大人还是孩子都很常见。生姜葱白红糖饮是流传千年的经典名方，温经散寒解表效果非常好。

准备生姜、葱白、红糖。将生姜洗净，切取一元硬币大小的 3 片。把葱择干净，留葱白，带须的更好，切成 3 ～ 4 段。在锅中加入 1 碗凉水，把生姜片和葱白放入锅中，大火烧开后换成小火，再熬上 10 分钟。加入适量红糖，再熬 1 分钟，关火。倒入碗中趁热徐徐服下。喝完之后赶紧盖上被子发发汗，风寒感冒很快就好了。

二、风热感冒用桑叶冰糖雪梨水

风热感冒最难受了，除了流黄涕外，还多会伴有头痛、发热、痰黏难以咯出、咳嗽、鼻塞等症状。治疗风热感冒有一个非常管用的小方子，就是桑叶冰糖雪梨水。

桑叶

准备桑叶 10 克，雪梨 1 个、冰糖 5 颗。把梨洗干净，去皮切块备用。桑叶加水洗净，后加入两小碗水，大火烧开后换成小火，再熬上 15 分钟。捞出桑叶，将梨块倒入桑叶汁中，接着煮 5 分钟。加入冰糖，关火，倒入碗中，喝汤吃梨。

这个方子里，桑叶清肺热，有止咳的效果；雪梨生津止渴、润肺化痰；冰糖不仅仅增加了口感，还有补中益气、和胃润肺的功效。三者在一起熬水喝，有止咳化痰、治疗风热感冒的功效。

三、寒咳，就熬大蒜水

寒咳，就是身体感受风寒引起的咳嗽。家长要注意，这类孩子大多会伴有流清涕、舌苔白、怕冷、无汗、鼻塞等症状。

这时候有一个最简单的食疗方，就是用大蒜熬水喝。大蒜是辛辣之品，所以它是温性的，温能克寒。另外，大蒜入脾、胃、肺经，它不仅有温肺止咳的作用，本身还能行气消积。

大蒜水的做法很简单，将 3 瓣大蒜去皮，放到一个小碗里，加适量水，将碗放在蒸锅上，大火烧开后换成小火蒸上 15 分钟就可以了。

四、热咳，川贝蒸梨最经典

热咳是由于感受风热之邪，或者平时大鱼大肉吃太多，内生火热，热邪犯肺造成的咳嗽。热咳大多咯痰不爽，或者伴有口干、舌苔黄、痰黏稠、发热、咽喉肿痛等。

川贝

这时候可以试试川贝蒸梨，这道药膳孩子也比较喜欢吃，做法也很简单。把梨洗净切开，把核掏空，做成一个梨盅，放入 6 粒川贝、2 颗冰糖，然后把梨盖盖上，用牙签固定。放在蒸锅上大火烧开，小火蒸 60 分钟就可以了。

川贝、梨、冰糖都是凉性的，梨有润肺的作用，不多说了。起主要作用的是川贝，清热、润肺、止咳、化痰。凉药嘛，当然治热咳了。

五、脾胃虚寒，常喝砂仁粥

脾胃虚寒的人大多舌淡苔白，或伴有肚子胀、肚子疼、手脚发凉、神疲乏力、呕吐、大便稀或者不成形等症状。在饮食上要少吃生冷的食物，否则容易加重腹泻、腹胀等症状。脾胃虚寒之人，可以做砂仁粥，坚持喝一段时间。

准备砂仁 3 克，大米 100 克。把砂仁研磨成粉，在锅中加入清水，倒入砂仁粉。再加入大米，大火烧开后换成小火熬成粥即可。

砂仁

砂仁健脾胃的作用非常好，很多中成药中都有砂仁，像香砂养胃丸等，因为它有温暖脾胃、补气养血的作用，并且本身还可以用作香料，中医说它“芳香辛散，降中有升”，所以用于熬粥喝效果非常棒。

六、口疮，用吴茱萸贴敷脚心

秋冬时节，天气干燥，尤其是文登地区，雨雪较少，很多人会出现上火症状，如嘴唇干、口腔溃疡、咽喉肿痛等，这时候可以用吴茱萸敷脚心。

吴茱萸

做法很简单，到药店里买10克吴茱萸，回来将其研成末，然后加点醋，和成糊状。晚上睡觉前，取出一点敷到脚心的涌泉穴上，用纱布固定。不用多，大拇指指甲盖大小就可以了，这样做第二天一觉醒来火就能去了大半。涌泉穴很好找，把脚趾勾起来，脚底上那个凹陷的坑就是了。

这个方子其实是个流传几百年的小验方，非常管用。吴茱萸温中下气，入足太阴、少阴、厥阴三经。用吴茱萸敷脚心，可以引火下行，从而达到祛火的作用。

七、关节肿痛，推荐壮骨止痛方

步入中老年后，许多人会出现关节肿痛的毛病。这时候可以到药店抓骨碎补15克，土鳖虫10克，放入砂锅中，加上两小碗水，武火熬到沸腾后，再用文火熬20分钟左右，待汤水差不多剩下一半，把药汁倒出来，再加入两小碗水，用同样的方法再煎出一小碗来。把两小碗药汁混在一起，然后每天早晚各喝一小碗。

这个方子里，骨碎补是一种温性的药物，具有补肾强骨、续筋止痛的作用。您如果有饮酒的习惯，也可以用骨碎补泡酒，每天喝一点。

土鳖虫，又称土元。《本草纲目》中对土元的评价非常高，认为它可以逐瘀、通络、破积、理伤。“元”是第一的意思，比如元旦、元首等。现在很多中成药里就含有土元，如跌打丸、通心络等。骨碎补和土元这两种药物在药店都可以买到，坚持用上一段时间，症状自有改善。

土鳖虫

八、用鸡内金饼给孩子消食积

鸡内金是鸡砂囊内壁一层黄色的角质，您知道吗？其实鸡内金还是一味中药，消食积效果特别好，加上面粉和芝麻做成的鸡内金饼不仅脆薄可口，还有健胃消食的作用。

准备鸡内金 5 片，面粉 500 克，以及芝麻、白糖、食用油各适量。把鸡内金用擀面杖研成末，越碎越好，也可以直接打成粉。把面粉、鸡内金粉、白糖、芝麻混合均匀。在面粉中加入凉水，和成面团，不要太硬，

鸡内金

以免影响口感。面和好后，揪成小剂子。剂子的大小，就像孩子的小拳头那么大即可。把剂子按平，用擀面杖擀开，注意要擀得薄一些，以擀面杖擀到芝麻为宜。用刷子在平底锅上刷一层食用油，把擀好的薄饼摊上去，薄饼上出现小泡后翻面，翻两三遍就熟了，放在盘子里，孩子就可以吃了。

当然，您也可以根据孩子的口味把糖换成盐，做成咸饼。薄饼酥脆可口，小孩子都喜欢吃，还能有效治疗食积，一举两得！

宝妈们千万不要小看了食积，它会引起很多疾病，比如反复呼吸道感染、肺炎、咽炎、便秘、贫血、夜啼、荨麻疹等。

鸡内金味甘，性平，入脾、胃、膀胱经，能健脾运胃，消化积滞。鸡内金的成分主要是胃激素、角蛋白、氨基酸，能够加速胃液的分泌，提高消化能力。由于米面、番薯、肉食等引起的食积，鸡内金都能有效缓解。

九、内热大、烦躁，熬绿豆清火汤喝真舒服

夏季天气炎热，秋季天气干燥，冬季室内暖气燥热，很容易让人出现内热大、烦躁等不适。这时候可以做一道绿豆清火汤，身体无火真舒服。

绿豆清火汤的原料有绿豆、梨、白萝卜。绿豆清肝火，清胃火；梨清肺热，润肺燥，通便，能治疗干咳无痰、口渴心烦；白萝卜健脾消食理气，化痰止咳，还能清胃热，消食积。这个方子里三味食材配合使用，既清内热，消食除积，又润肠通便，更难得的是，它们都是经常吃的食材，没什么副作用。

绿豆清火汤的做法十分简单，在锅里加上水后放入一把绿豆，大火烧开，换小火煮 10 分钟后，关火闷 20 分钟，然后再放入几块梨和几片白萝卜煮 10 分钟，鲜美可口的绿豆清火汤就做成了。

十、用文登大西瓜，做西瓜翠衣汤来解暑

文登大西瓜非常有名，但是如果吃完西瓜把瓜皮丢掉就太可惜了。用刀把最外面的青皮削下来晾干，就是西瓜翠衣了，有清热解暑、除烦止渴的作用。取西瓜翠衣 100 克，加水熬 10 ～ 15 分钟，关火后加适量冰糖，以感觉有淡淡的甜味为宜。

中医认为，西瓜翠衣性凉味甘，冰糖可以养阴生津，煎饮代茶，可治暑热烦渴、水肿、口舌生疮、中暑和秋冬因气候干燥引起的咽喉干痛、烦渴不止等病症。

十一、蚊虫叮咬，艾叶、薄荷可搞定

夏天外出游玩，免不了被蚊虫盯上，或者说“叮上”。用艾叶、薄荷洗澡就很管用，而且这两种中药文登的山间地头都有，取材方便！

艾叶

艾叶洗澡：对于艾叶大家都比较熟悉，它可以散发出来一种独特的香味，因此用艾叶煮水洗澡，可以预防蚊虫叮咬。如果被蚊虫咬了，也可以用它来洗，因为中医认为，艾叶还有燥湿止痒的作用。

薄荷

薄荷洗澡：薄荷有疏风、散热、祛秽、止痒、驱虫的作用。在农村经常会见到薄荷，细心的人会发现，薄荷很少生虫，就是因为它能散发出独特的香气来驱虫。有很多中药成分的止痒膏、驱蚊药等都少不了薄荷。另外，夏天太热了，薄荷还有清热解暑的作用，所以，可以采点新鲜的薄荷煮水洗澡。

十二、生南瓜子，巧治前列腺炎

很多人反映，吃了一个月的生南瓜子，解小便顺畅多了。这是一个非常古老但又非常实用的小验方。很多老年男性因前列腺增生表现为夜间排尿次数增多、尿频、尿急、排尿困难、排尿不净等症状。前列腺增生是一种良性病变，虽然不会给人带来病痛，但是对老年人的生活质量却有一定的影响。

南瓜子味甘性温，有消肿的作用。很多老年男性在坚持用了一段时间生南瓜子后，反映夜尿次数减少、小便更加顺畅。生南瓜子治前列腺增生的用法很简单，每天吃上一把生南瓜子，连用 1 月即可。如果没有效果，最好找医生系统治疗。

十三、苍耳子油治鼻炎

鼻炎被称为“不死的癌症”，得了鼻炎，鼻子不透气，晚上睡觉睡不好，白天头脑昏昏沉沉。有些小单方外用，对缓解鼻塞症状非常有帮助。在这里推荐苍耳子油，成本不高，效果还很好。

准备苍耳子15克，香油50毫升。准备平底锅，放入苍耳子，开小火炒干。把炒干的苍耳子用小锤子锤破，在平底锅中倒入50毫升香油，待油热后，放入锤破后的苍耳子。开小火煎炸，用锅铲轻轻翻动，一直到苍耳子颜色变黑，苍耳子油就炸好了。把苍耳子渣捞出，油放凉后，倒入小瓶子中备用。需要用的时候，用棉签蘸上苍耳子油，抹到鼻孔里即可。

苍耳子

苍耳子是一种宣肺药，有祛风通窍的作用，在儿科门诊上很多家长反映效果挺好。

十四、孩子身体弱、常生病，喝一段时间枸杞子核桃粥

把一个核桃仁掰成三五块儿，准备七八粒枸杞子，加点大米或者小米，熬成粥给身体弱的孩子喝，肾气虚、肺肾两虚之咳喘气短、大便干都可以用。另外，核桃中的钙、铁等元素和维生素含量丰富，非常适合孩子吃。

枸杞子滋补肝肾、益精明目，是《神农本草经》里的上品药。小孩子吃了眼睛亮、肾气足、脸色红润。现

代研究发现，常吃枸杞子可以增强人体的免疫力，可以让孩子少生病。

十五、老人用此方，可丢掉拐杖

人老先老腿，老年人腿脚不方便，会严重影响生活质量。下面推荐一个泡脚方，很简单，只有两味药，分别是生白芍 30 克，炙甘草 5 克。可别小看了这个方子，这个方子叫“去杖汤”，是古代流传至今的一个非常有名的方子。顾名思义，用了这个方子以后，拐杖就可以去掉啦！这个方子里，生白芍养血柔肝，通经祛瘀；炙甘草补中益气。经常用这个方子泡脚，老人脚部气血经络通畅，双腿自然就有劲儿了。

生白芍

炙甘草

十六、孩子起痱子，用马齿苋熬汁外洗

小孩子到了夏天身上容易起痱子，成片成片的，家长看着心疼。中医认为，痱子是盛夏时节暑热夹湿，蕴结肌肤，导致毛窍郁塞所致，下面给大家推荐马齿苋熬汁外洗的祛痱方法！

马齿苋

马齿苋有清热、解毒、利湿、凉血的作用。拔些新鲜的马齿苋回来，清洗干净，100 克左右即可。然后放到 600 毫升水里，大火烧开后换成小火，再熬上 10 分钟。关火后把马齿苋汁倒入碗中备用。

用马齿苋汁给孩子擦洗起痱子的地方，每天早晚各一次即可。一般擦两三次，痱子就消失了。

十七、产后常喝当归黄芪鸡蛋汤

到药店买当归 5 克，黄芪 25 克，再准备鸡蛋 2 枚，红枣 5 个。把当归、黄芪洗净，和红枣、未剥皮的鸡蛋放到锅里，加上 2 碗水，煮沸后换成小火。待鸡蛋煮熟后把鸡蛋捞出剥掉皮，放回锅中接着再煮，感觉剩下约

当归

1碗水的时候关火。然后根据自己的口味加点红糖，就可以喝汤吃鸡蛋了。

这个食疗方里当归、黄芪其实是“当归补血汤”，加上红枣、红糖，温阳补血，再配上鸡蛋，营养会比较丰富全面。产后怕风怕冷的女性可以每周吃上两三次。

十八、美容花茶，调理内分泌、排毒通便

给大家推荐一款可以美白、祛斑、祛痘、除皱、瘦身的花茶，它还有改善血液循环、调理内分泌、排毒通便的作用。这道花茶很简单，到药店或者茶店里买桃花3克，大拇指大小的红枣3枚、枸杞子8粒，这是一天的量，放入杯内，用开水闷上10分钟就可以当茶喝了。

古人形容女人漂亮会说“面若桃花”，事实上，用桃花泡水喝确实能让女人美若桃花。中医讲，桃花入心、肺、大肠三经：入心经，补血活血，能够疏通经络，改善血液循环，滋润肌肤；入肺经，肺主皮毛，因此对黄褐斑、雀斑、黑斑、皮肤干燥、皱纹、青春痘都有一定的改善作用；入大肠经，所以可以润肠通便，排

除毒素。《备急千金要方》载："采三株桃花，阴干，末之，空心饮服方寸匕，日三，并细腰身。"方中的红枣和枸杞子滋阴补血、宁心安神，另外，红枣中含有丰富的维生素 C，能够促进肌肤细胞的代谢，防止黑色素沉着，让肌肤洁白细滑。枸杞子补虚养肝、清热明目，男要养肾，女要养肝，所以加上枸杞子也非常好。

十九、女人爱生气，用玫瑰红枣泡水喝

女人不像男人，生气时容易大发雷霆，而是容易生闷气。中医讲，万病气上来。女人生闷气，容易诱发胁肋痛、胸闷、嗳气、不思饮食、乳房胀痛等症状。这时候可以取玫瑰花 5 朵，去核红枣 3 枚，用开水冲泡，还可以根据个人口味调入冰糖或蜂蜜。

玫瑰花茶

玫瑰花有活血调经、疏肝理气、行气活血、化瘀、调和脏腑、平衡内分泌等功效，并能消除疲劳、改善体质，非常适合于春季饮用。而且玫瑰花的药性非常温和，能够温养人的心肝血脉，舒发体内郁气，起到镇静、抗抑郁的功效。在

工作和生活压力越来越大的今天，女性可以多喝点玫瑰花，以安抚、稳定情绪。红枣有补脾、补血的作用，与玫瑰花合用，对美容、宁神效果非常好。

二十、睡不着觉，三种证型三种方

失眠，并不单单是晚上睡不好觉的问题，大多还会伴有记忆力下降、注意力不集中、白天困倦等，有些比较严重的患者，还会出现心慌、胸闷、腹胀、腹泻、头痛、爱发脾气、不开心、免疫力低下、内分泌紊乱等。

失眠人群，可以分为以下三类：

心脾两虚型：这类人多伴有心慌、多梦、健忘、腹胀、气短、乏力、头晕等，这时候可以用酸枣仁 20 克，百合 20 克，五味子 15 克，用开水泡一下，代茶饮。这个方子有宁心安神、养阴除热、养五脏的作用。

心肝火旺型：这类人多伴有心烦、急躁、易怒、心情不舒畅、头痛等，这时候可以用栀子 10 克，麦冬 20 克，生地黄 15 克，用开水泡一下代茶饮。

除了这两种类型，还有一类人除了失眠，还伴有心慌、恐惧等，比如说担心什么事情或者自身的疾病等，这类多属虚证，可以每天晚上临睡前用 1 ～ 1.5 克珍珠粉或琥珀粉冲服。它们都有镇心定惊、清热滋阴等作用。

特别篇

热敏灸技术

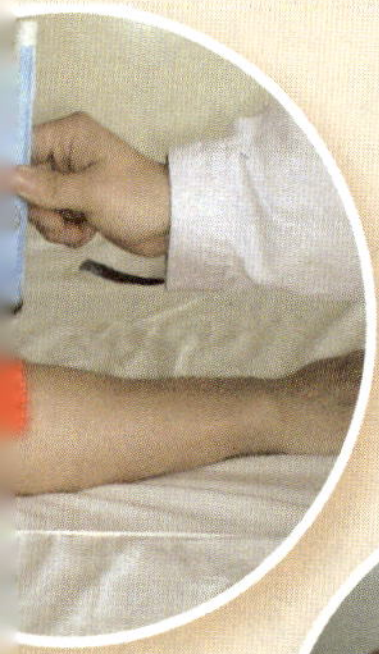

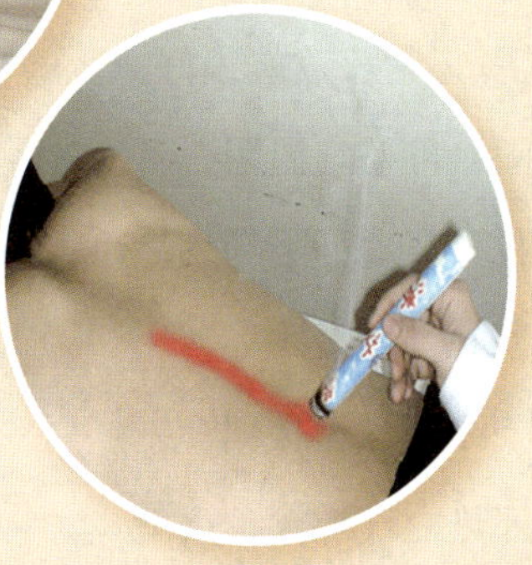

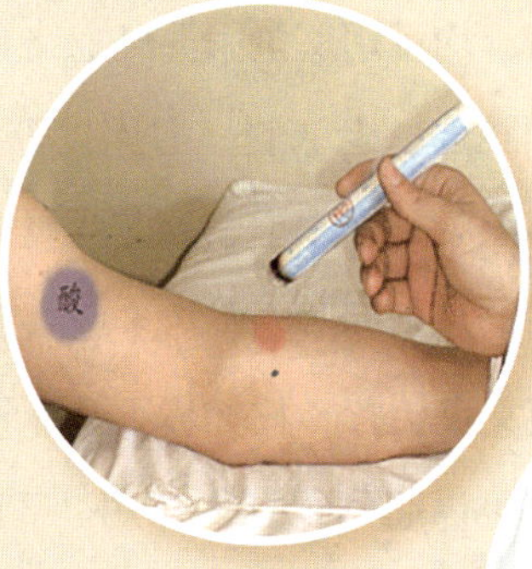

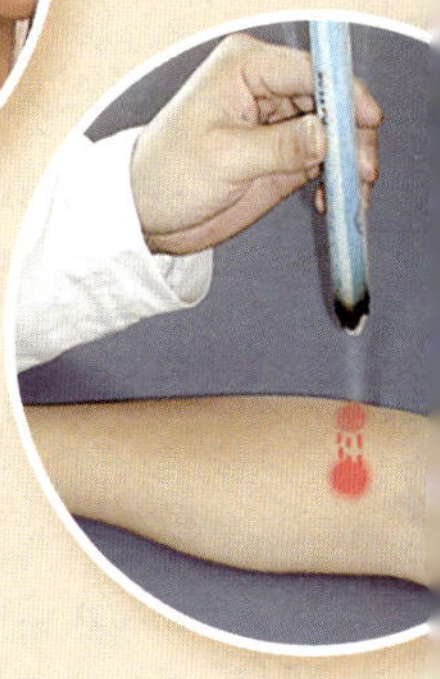

一、什么是艾灸疗法

艾灸疗法是用艾叶制成的艾灸材料所产生的热刺激体表穴位，通过激发经气的活动来调整人体紊乱的生理生化功能，从而达到防病治病目的的一种治疗方法。艾灸发源于北方寒冷之地。《素问》中就有“北方者，天地所闭藏之域也，其地高陵居，风寒冰冽，其民乐野处而乳食，脏寒生满病，其治宜灸焫，故灸焫者，亦从北方来”。说的就是北方的居民因为天气寒冷，又常居野外，吃牛羊肉和乳制品，脏腑寒冷而生胀满的病比较多，适合做艾灸治疗。艾灸疗法应用范围广泛，易学易用，成本低廉，安全有效，操作简便，灸处温暖舒适，深受广大患者欢迎。

艾灸具有治疗和保健的作用，主要体现在以下方面：①温经散寒，行气通络。一切气血凝滞、经络痹阻的疾病，均可用艾灸来温经通络、散寒除痹，像我们平时的颈腰痛、老寒腿、肩周炎等病用艾灸疗效就很好。②扶阳固脱，升阳举陷。艾叶属纯阳，可益气温阳，升阳举陷，扶阳固脱。临床上阳气虚脱、气虚下陷等病症均可用艾灸治疗，比如胃下垂、子宫脱垂、腹泻等，用艾灸就可以起到很好的作用。③泄热拔毒，消瘀散结。《医学入门》指出：“热者灸之，引郁热之气外发，火就燥之义也。”因此，“热证可灸”具有理论与临床依据。

艾灸能温阳行气，气行则瘀散，血得温则行，故艾灸能消瘀散结。临床上像痈疮、便秘等病症都是可以用灸法的。④防病保健，延年益寿。“治未病”是中医学的重要学术思想，艾灸除了治疗作用外，还具有预防疾病、保健延年的功效。《扁鹊心书》则明确提出，人无病时，常灸关元、气海、命门穴，能延年益寿，民间亦有“三里灸不绝，一切灾病息”之说。现代研究也表明，艾灸能提高机体免疫力，从而达到防病保健、延年益寿的功效。

二、什么是热敏灸

热敏灸是采用点燃的艾条产生的热悬灸热敏态腧穴，激发透热、扩热、传热、局部不热远部热、表面不热深部热、非热觉等热敏灸感和经气传导，并施以个体化的饱和灸量，从而提高艾灸疗效的一种新疗法。热敏灸的特点就是产生“小刺激、大反应”，激发经气感传，从而提高疗效。

在这里给大家介绍一下什么是灸感。灸感是指施灸时患者的自我感觉。健康人由于穴位处于静息态，艾灸通常引起皮肤局部的和表面的热感，但是人体在疾病状态下，当穴位处于热敏化状态时，艾灸后常产生以下6种感觉：第一是透热，灸热从施灸点皮肤表面直接向深部组织穿透，甚至直达胸腹腔脏器；第二是扩热，灸热以施灸点为中心向周围扩散；第三是传热，灸热从施灸点开始循经脉路线向远部传导，甚至到达病所；第四是局部不热远部热，施灸部位不热，而远离施灸的部位感觉甚热；第五是表面不热深部热，施灸部位的皮肤不热，而皮肤下深部组织甚至胸腹腔脏器感觉甚热；第六是产生其他非热感觉，施灸部位或远离施灸部位产生酸、胀、重、痛、麻、冷等非热感觉。我们通常称局部和表面的热感为普通灸感，称 6 种特殊感觉为热敏灸感。热敏灸感是经气激发与传导的标志，是艾灸疗效提高的前提。

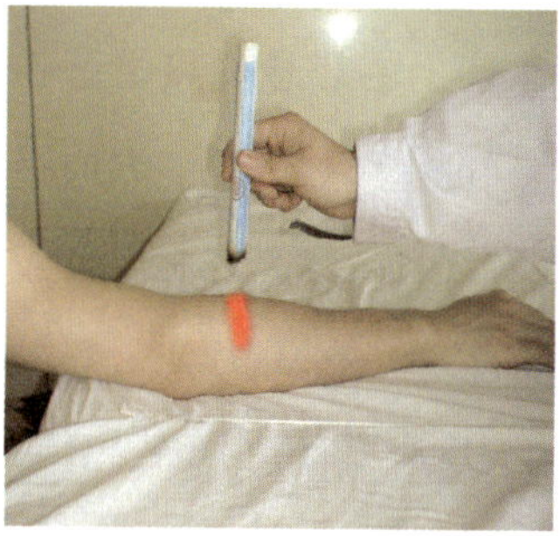

透热

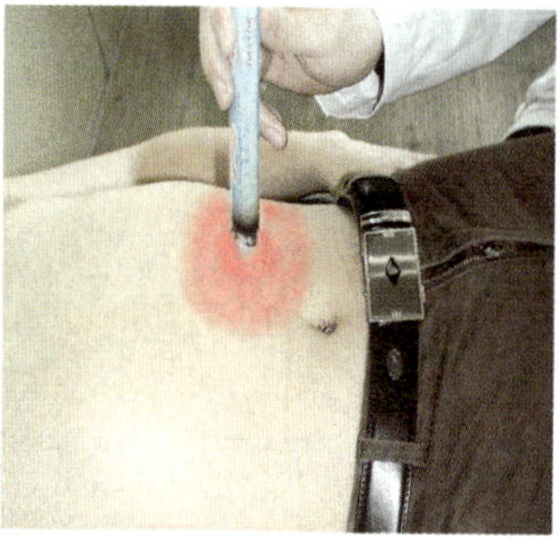

扩热

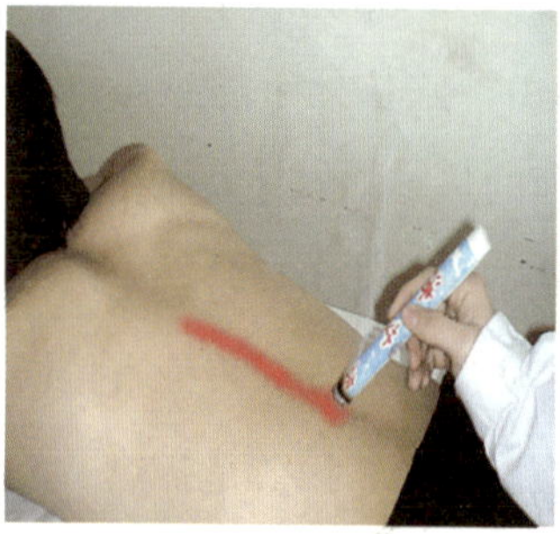

传热

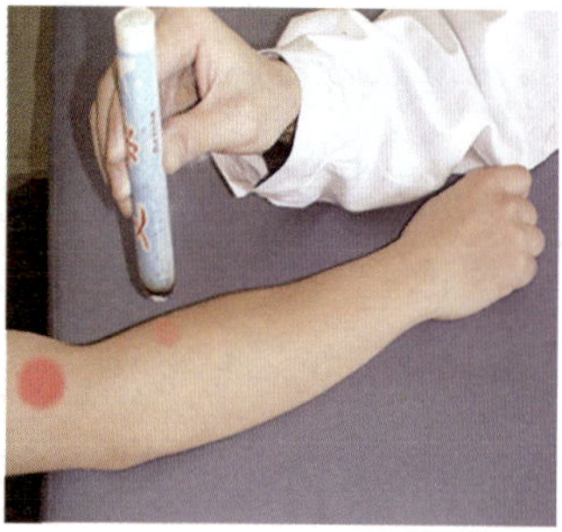

局部不热远部热

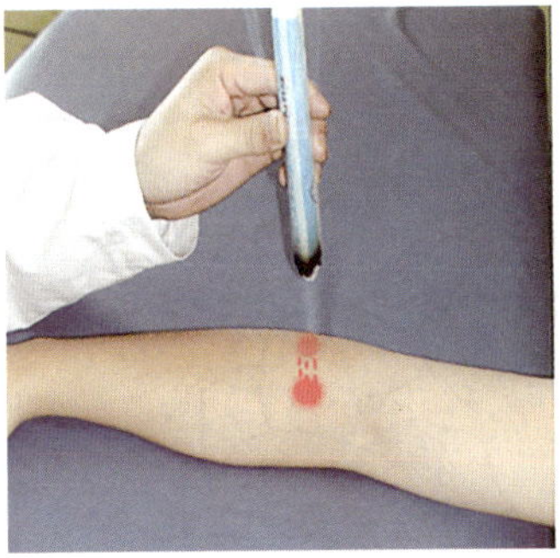

表面不热深部热

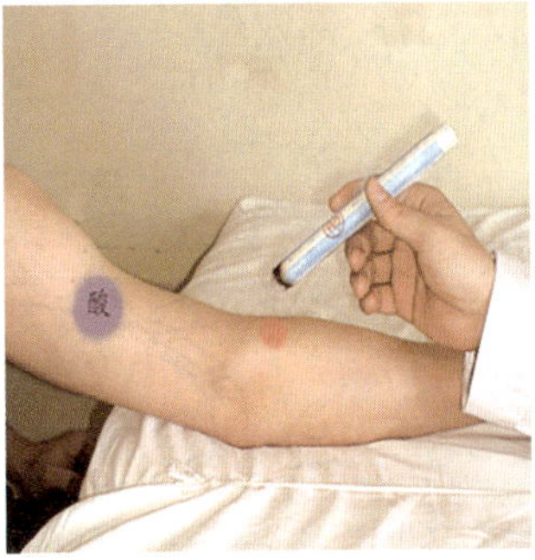

非热感

三、热敏灸如何操作

热敏灸疗法操作的第一步是探查明确热敏穴位的准确位置，这是产生热敏灸独特疗效的前提。探查热敏穴位必须熟悉认识热敏灸感。首先保持环境安静，温度保持在 20 ～ 30℃为宜，选择舒适体位，充分暴露探查部位，肌肉放松。穴位发生热敏化是有规律的，如感冒、过敏性鼻炎的热敏穴高发部位为上印堂区域；支气管哮喘的热敏穴在肺俞区域；面瘫的热敏穴高发部位在翳风区域等。找出热敏穴的高发区域之后，我们就进行探查手法，共 4 种：

1. 回旋灸

用点燃的艾条，与施灸部位皮肤保持一定距离，均匀地往复回旋熏烤施灸，以施灸部位皮肤温热潮红为度。回旋灸有利于温热施灸部位的气血，主要用于胸腹、背腰部穴位。

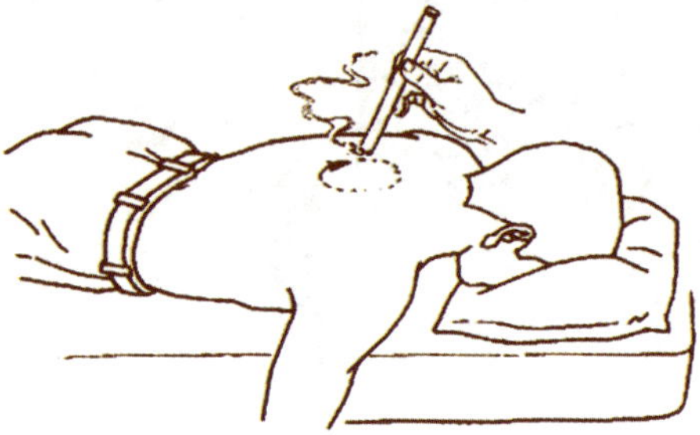

2. 循经往返灸

用点燃的艾条在患者体表，距离皮肤 3 厘米左右，匀速地沿经脉循行方向往返移动施灸，以施灸路线温热潮红为度。循经往返灸有利于疏通经络，激发经气。

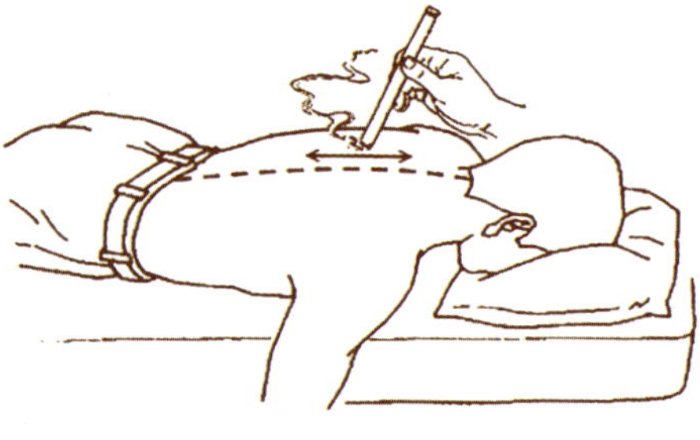

3. 雀啄灸

用点燃的艾条，对准施灸部位一上一下地活动施灸，如鸟雀啄食一样，以施灸部位皮肤温热潮红为度。雀啄灸有利于施灸部位进一步加强热敏化，从而为局部的经气激发，产生灸性感传奠定基础。

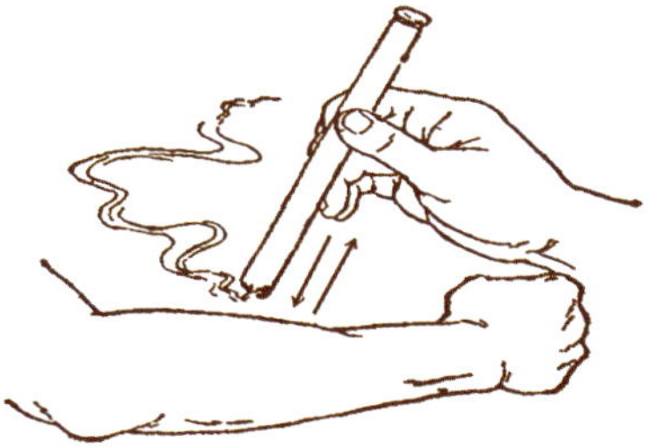

4. 温和灸

用点燃的艾条，对准施灸部位，距离皮肤 3 厘米左右处熏烤，使患者局部感觉温热而无灼痛感，以施灸部位皮肤温热潮红为度。温和灸有利于施灸部位进一步激发经气，发动感传。

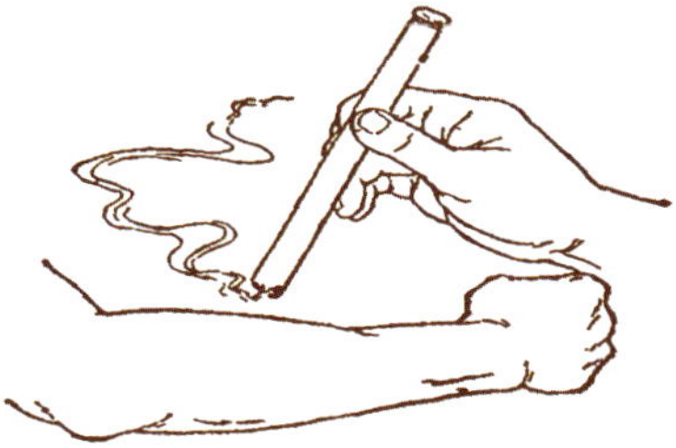

探查热敏穴位可以采用单一手法，灸至皮肤潮红为度。也可采用 4 种手法的组合。采用组合手法时，按上述顺序每种手法操作 1 分钟，反复重复上述手法，灸至皮肤潮红为度，一般 2 ～ 3 遍即可。

四、热敏灸操作多长时间合适

在施行热敏灸疗法时，每穴的施灸时间不是固定不变的，而是因人、因病、因穴不同而不同，是以个体化的热敏灸感消失为度的施灸时间。施灸时间以从热敏灸感产生至热敏灸感消失为热敏灸的饱和灸量，每个穴位从10分钟到200分钟不等，这是热敏穴位的最佳个体化施灸剂量，达到这个剂量灸疗疗效明显提高。

五、热敏灸可以治哪些疾病？效果如何

热敏灸不用针、不接触皮肤、安全有效、适应证广、无毒副作用，大量的临床实践证明，凡是人体腧穴发生热敏的病症，均是热敏灸疗法的适应证。热敏灸技术适宜治疗70余种病症，对肺系病症（过敏性鼻炎、荨麻疹、支气管哮喘、慢性支气管炎）、胃肠功能型病症（非溃疡性消化不良、功能性肠病）、男性前列腺病症（慢性前列腺炎、前列腺肥大、性功能障碍）、女性妇科病症（盆腔炎、原发性痛经、卵泡发育不良、卵巢早衰、乳腺增生、黄褐斑）、脊柱关节病症（颈椎病、腰椎间盘突出症、膝关节骨性关节炎、类风湿关节炎）、皮肤病症（湿疹、神经性皮炎、带状疱疹）、虚寒性病症（亚健康、慢性病、肿瘤化放疗后诸虚）等有独特

疗效。

经过热敏灸治疗，许多膝关节骨性关节炎患者免去了关节置换；许多腰突症与前列腺肥大患者免去了手术之苦；许多过敏性疾病患者告别了长期药物的毒副作用；许多性功能障碍患者获得了家庭“性福”；许多亚健康、慢性病与肿瘤患者增强了体质，提高了生活质量。

六、常见病症的热敏灸穴位

1. 风寒感冒

穴位：高发部位为上印堂、太阳、风池、大椎等。

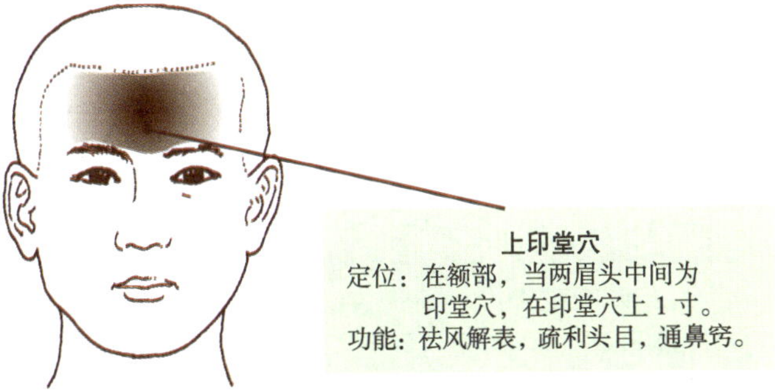

灸法：上印堂穴单点温和灸，自觉热感扩散至整个额部或额部有紧压感，灸至热敏灸感消失。

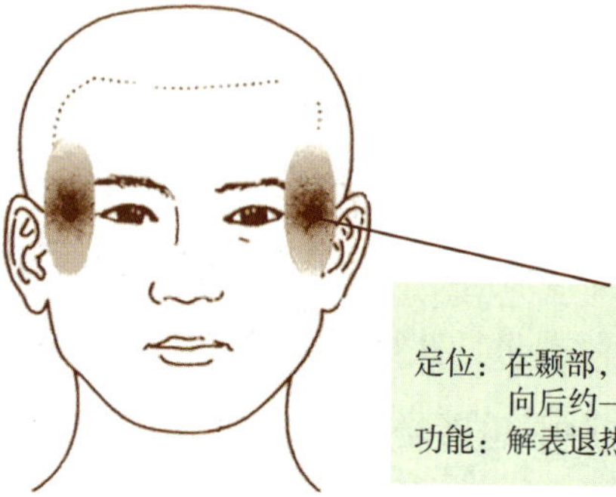

太阳穴

定位：在颞部，当眉梢与目外眦之间，向后约一横指的凹陷处。

功能：解表退热，清利头目。

灸法：太阳穴进行双点温和灸，可觉热感扩散至两侧颞部，灸至热敏灸感消失。

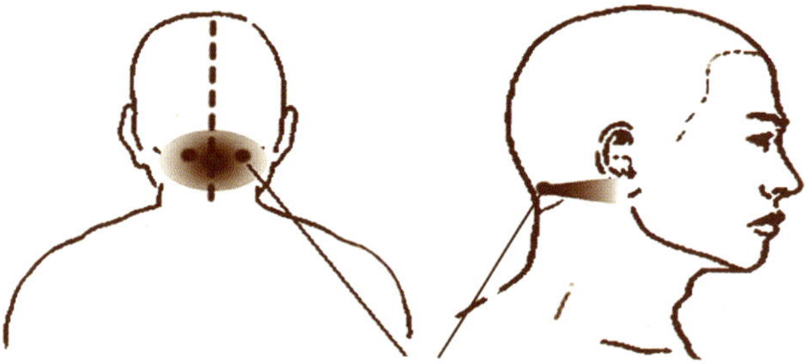

风池穴

定位：项部枕骨下，斜方肌上部外缘与胸锁乳突肌上端后缘之间凹陷处。

功能：疏风解表，清利头目，宣通鼻窍。

灸法：风池穴双点温和灸，自觉热感深透，或向四周扩散，或沿督脉上下传导，灸至热敏灸感消失。

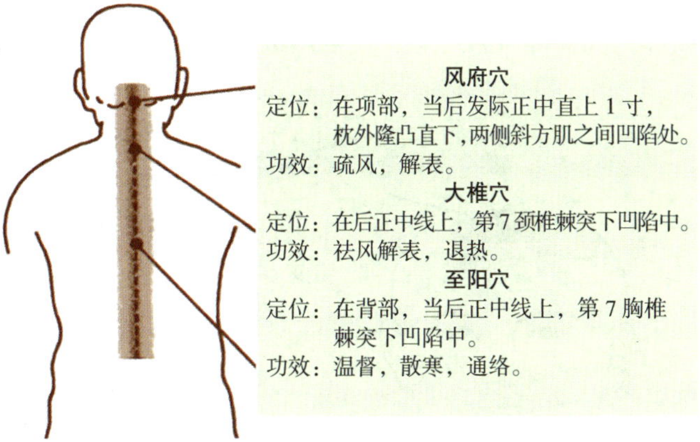

灸法：风府、大椎、至阳穴循经往返灸，振奋督脉阳气，祛寒解表，可觉热感沿头项背腰部督脉传导，灸至热敏灸感消失。

疗程：每天 2 次，灸至症状消失。一般 1～2 天即可。

2. 过敏性鼻炎

穴位：热敏高发区为上印堂、通天、风池、肺俞、神阙等穴区。

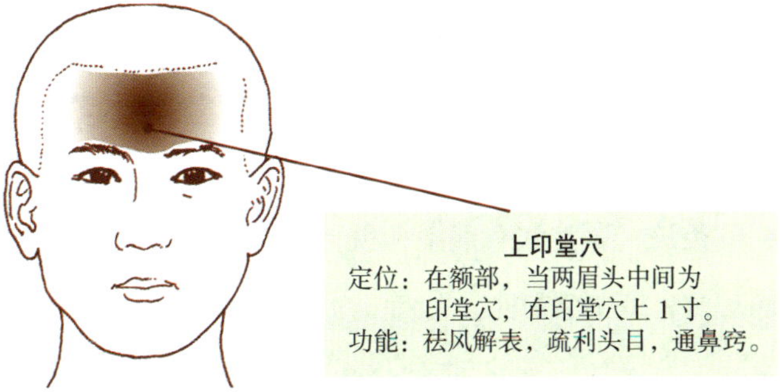

灸法： 上印堂穴单点温和灸，自觉热感扩散至整个额部，或额部有紧压感，灸至热敏灸感消失。

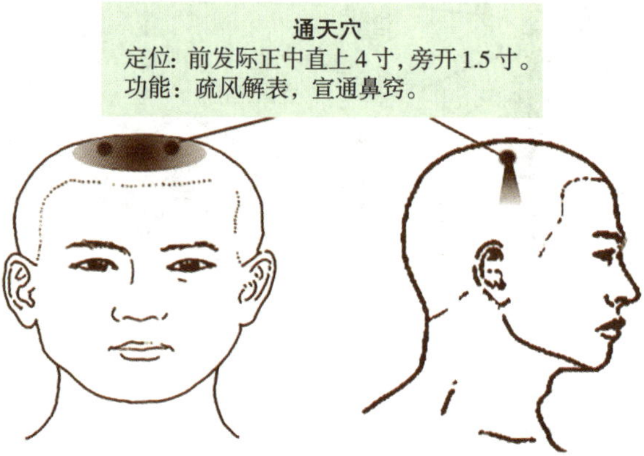

灸法： 通天穴双点温和灸，自觉热感深透，或扩散，或有紧压感，灸至热敏灸感消失。

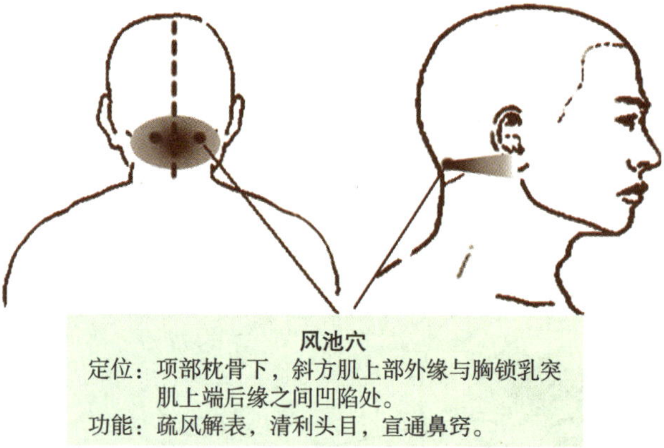

灸法： 风池穴双点温和灸，自觉热感深透，或向四周扩散，或沿督脉上下传导，灸至热敏灸感消失。

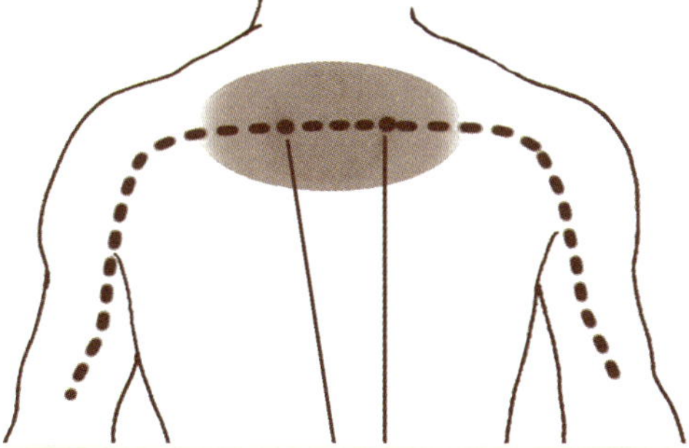

肺俞穴
定位：在背部，当第 3 胸椎棘突下，旁开 1.5 寸。
功能：疏风散寒，宣利肺气。

灸法：肺俞穴双点温和灸，自觉热感透至胸腔，或扩散至整个背部，或热感向上肢传导，灸至热敏灸感消失。肺俞是肺气输注于背部的部位，可治本脏之疾，具有疏风散寒、益气固表的作用。

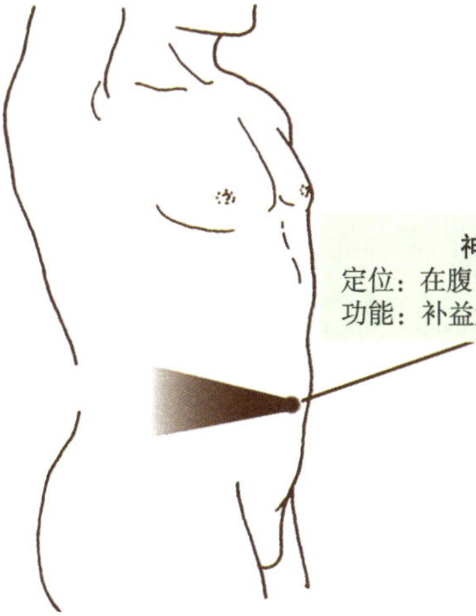

神阙穴
定位：在腹中部，脐中央。
功能：补益元气。

灸法：神阙穴单点温和灸，自觉热感深透至腹腔，灸至热敏灸感消失。神阙位于任脉，乃补益元气的要穴。

疗程：每次选取上述 2 ～ 3 组穴位，每天 1 次，10 次为 1 个疗程，疗程间休息 2 ～ 5 天，共 2 ～ 3 个疗程。

3. 颈椎病

穴位：热敏穴高发区位于神庭、风府、风池、大椎、颈夹脊、肺俞、肩井、至阳穴区。

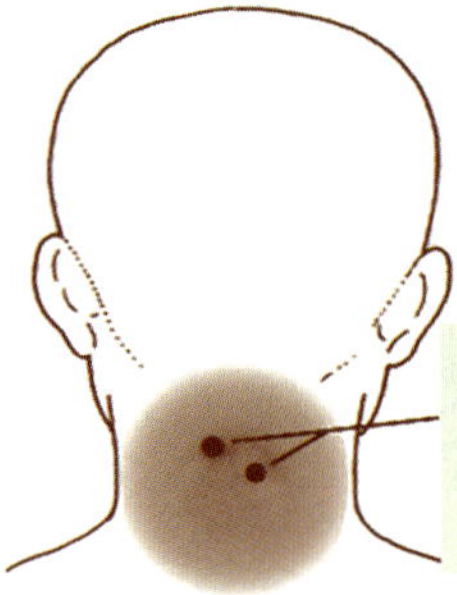

颈夹脊穴
定位：颈椎棘突下两侧，后正中线旁开 0.5 寸。
功能：通络止痛，利关节。

灸法：颈夹脊穴压痛点单点温和灸，自觉热感透向深部，或向四周扩散，或自觉项背部有紧、压、酸、胀、痛感，灸至热敏灸感消失。

灸法： 肩井穴压痛点单点温和灸，自觉热感透向深部及向上肢传导，或自觉肩部有紧、压、酸、胀、痛感，灸至热敏灸感消失。

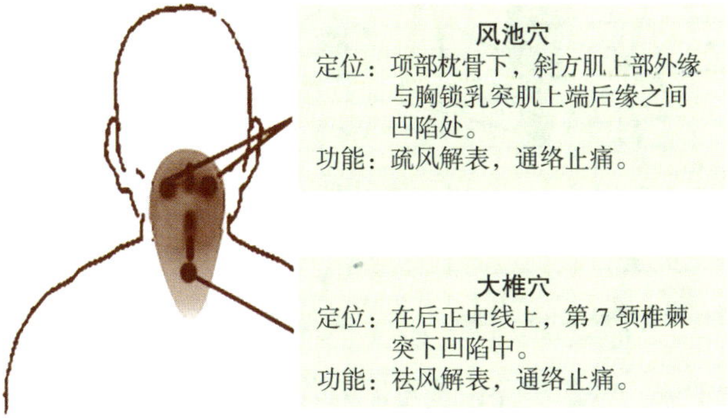

灸法： 风池穴双点温和灸，自觉热感深透或向四周扩散或沿督脉上下传导，灸至热敏灸感消失；大椎穴单点温和灸，自觉热感沿督脉上传至项，下传至背部，或透向深部，或向上肢传导，或自觉有紧、压、酸、胀、痛感，灸至热敏灸感消失。

疗程：每次选取上述 2 ～ 3 组穴位（椎动脉型颈椎病仅选 1 组穴位），每天 1 ～ 2 次，10 次为 1 个疗程，疗程间休息 2 ～ 5 天，共 2 ～ 3 个疗程。

4. 腰椎间盘突出症

穴位：腰俞、命门、至阳、关元俞、腰部压痛点、承扶、委中、昆仑等穴区。

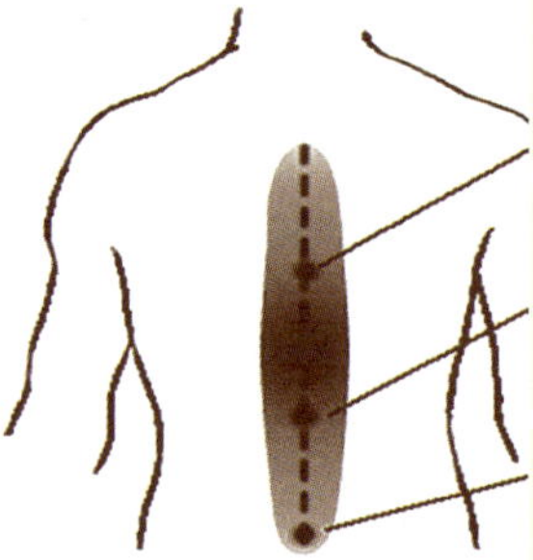

至阳穴
定位：在背部，当后正中线上，第 7 胸椎棘突下凹陷中。
功能：强脊，通络，止痛。

命门穴
定位：在腰部，当后正中线上，第 2 腰椎棘突下凹陷中。
功能：补益肾气，强健腰脊。

腰俞穴
定位：在骶部，当后正中线上，适对骶管裂孔。
功能：强腰利脊，通络止痛。

灸法：腰俞、命门、至阳穴循经往返灸，振奋督脉阳气，可觉热感沿背、腰、骶部督脉传导，灸至热敏灸感消失。腰俞、命门、至阳穴均位于督脉，合用共奏补肾气、强腰脊、温经通络止痛的功效。

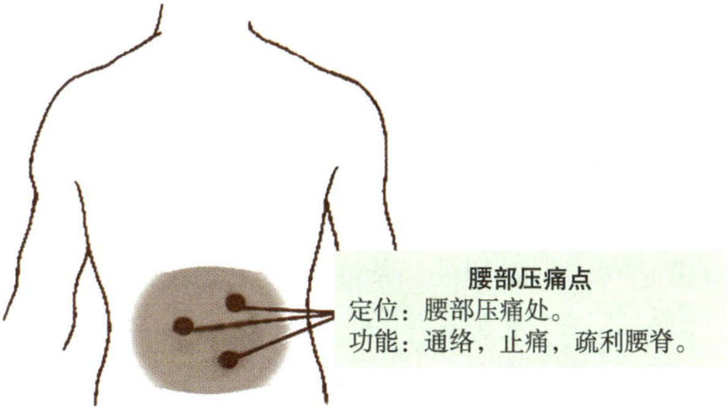

灸法：腰部压痛点单点温和灸，自觉热感透向深部甚至腹腔，或向四周扩散，或自觉局部有紧、压、酸、胀、痛感，或向下肢传导，灸至热敏灸感消失。

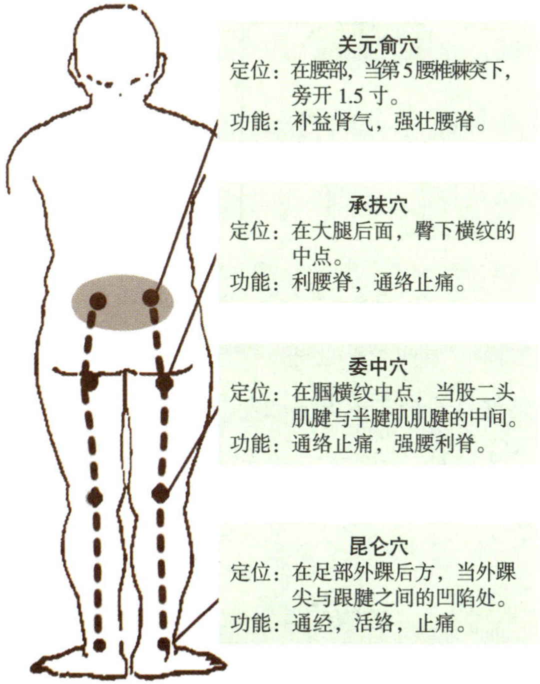

灸法：关元俞穴患侧单点温和灸，自觉热感透向深部并向四周扩散，或有紧、压、酸、胀、痛感或热感沿下肢传导，部分的感传可直接到达足跟部，如感传仍不能传至足跟部，再取一支点燃的艾条分别放置承扶、委中、昆仑穴进行温和灸，依次接力使感传到达足跟部，最后将两支艾条分别固定于昆仑、关元俞进行温和灸，灸至热敏灸感消失。

疗程：每次选取上述 1～2 组穴位，每天 1 次，10 次为 1 个疗程，疗程间休息 2～5 天，共 1～2 个疗程。

5. 常用保健要穴

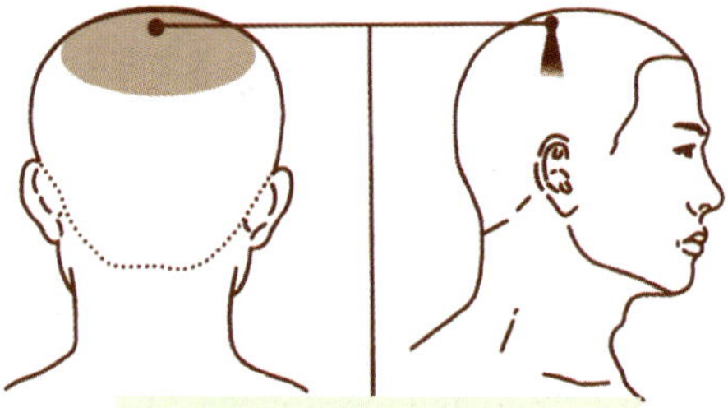

百会穴
定位：在头部，当前发际正中直上 5 寸，或两耳尖连线中点处。
功能：健脑，安神。

灸法：百会穴单点温和灸，可觉热感扩散或透至脑内，或头皮重、压、紧，灸至热敏灸感消失。

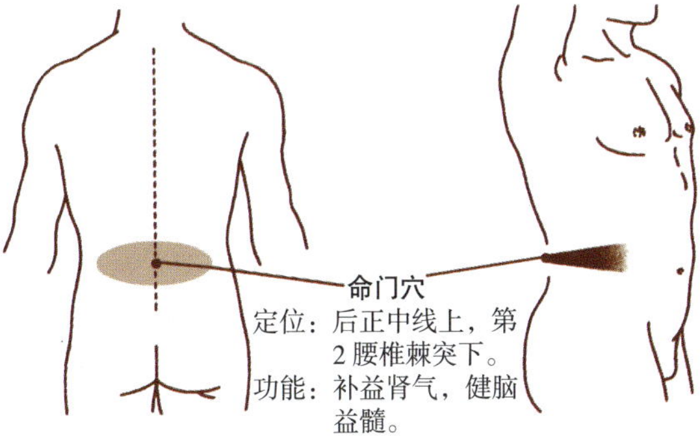

灸法：命门穴单点温和灸，可觉热感直透腹腔，或出现表面不热深部热现象，或沿督脉传导，灸至热敏灸感消失。

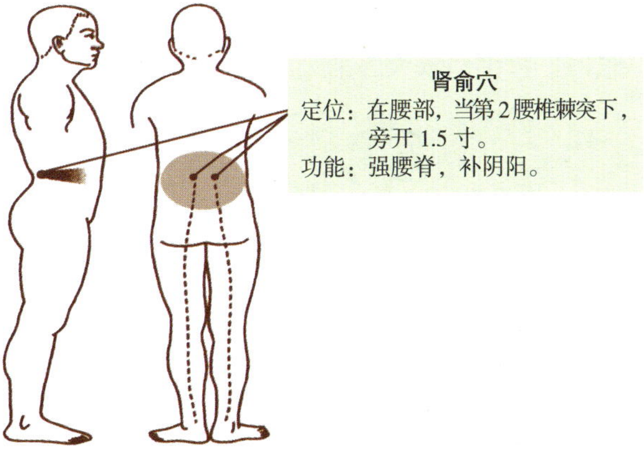

灸法：肾俞穴双点温和灸，自觉热感深透至腹腔，或扩散至腰骶部，或向下肢传导，灸至热敏灸感消失。

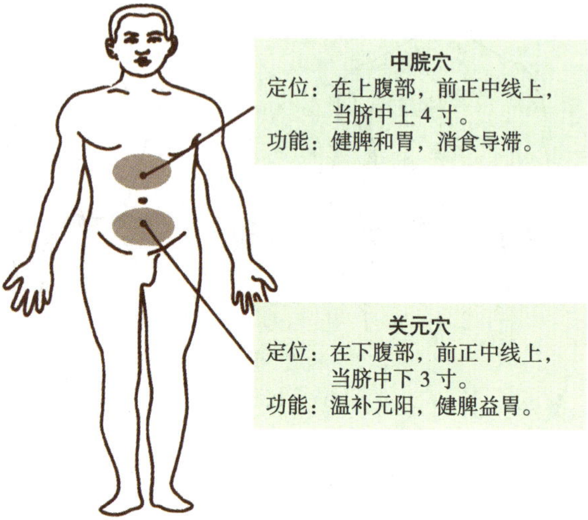

灸法：中脘、关元穴双点温和灸，可觉热感透至腹腔内，灸至热敏灸感消失。

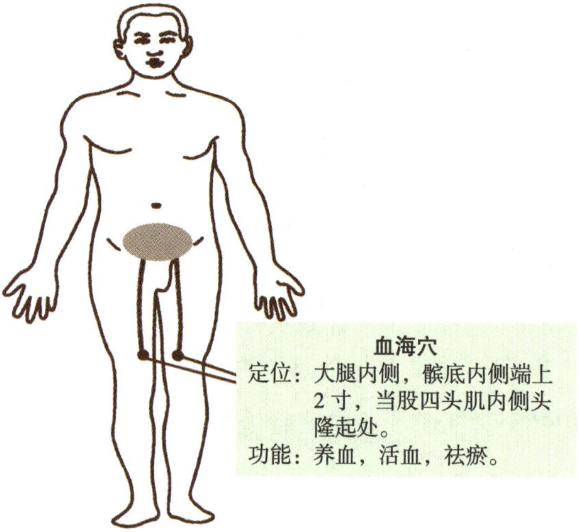

灸法：血海穴双点温和灸，部分感传可直达下腹腔内，灸至热敏灸感消失。

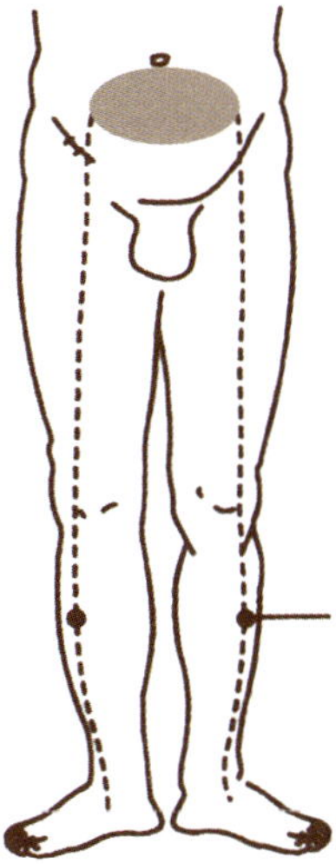

足三里穴

定位：小腿前外侧，外膝眼（犊鼻）下 3 寸，胫骨前缘外一横指（中指）处，当胫骨前肌中。

功能：调理脾胃，宽肠理气。

灸法：足三里双点温和灸，部分感传可直接到达腹部，灸至热敏灸感消失。

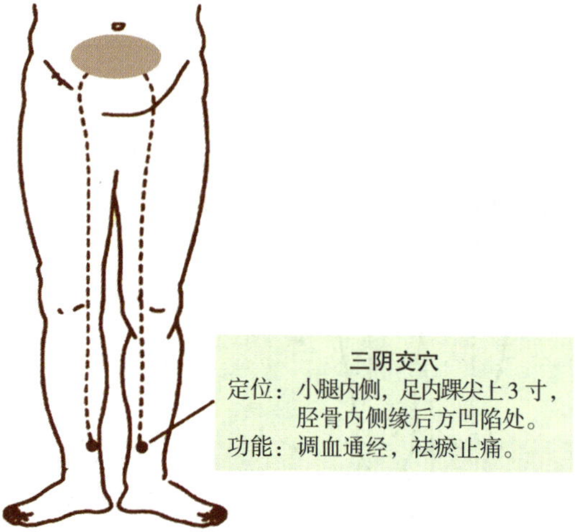

灸法：三阴交双点温和灸，部分感传可直接到达腹部，灸至热敏灸感消失。

文登辖区医院救治电话

单位	接诊电话	预防接种电话
威海市中心医院	3809999	
山东省文登整骨医院	8981999	
妇幼保健院	3625678	3587279
人民医院（南院区）	8360120	
人民医院（北院区）	8354223	
皮肤病医院	8456737	
口腔医院	8252019	
龙山社区卫生服务中心	8355207	8351311
环山社区卫生服务中心	8821707	8262632
天福社区卫生服务中心	8457563	
宋村中心卫生院	8895537	13561885846
高村中心卫生院	8760768	8760797
大水泊中心卫生院	8645578	8646831
葛家中心卫生院	8888607	8888634
文登营镇卫生院	8666038	8666037
张家产镇卫生院	8730160	8730109
泽库镇卫生院	8781031	13406723728
侯家镇卫生院	8721587	8721582
泽头镇卫生院	8821706	8821707
小观镇卫生院	8969117	8969507
米山镇卫生院	8875074	8875034
界石镇卫生院	8531031	13963183853
埠口卫生院	8778511	8776633
天福山卫生院	8684965	8681031